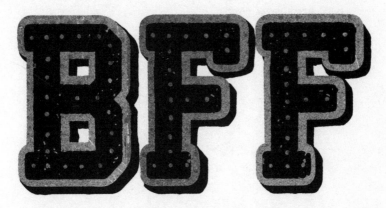

1. LOIN DES YEUX... PRÈS DU CŒUR !

GENEVIÈVE GUILBAULT

MARILOU ADDISON

ANDARA

Catalogage avant publication de Bibliothèque et Archives
nationales du Québec et Bibliothèque et Archives Canada

Guilbault, Geneviève, 1978-

Loin des yeux, près du cœur!

(BFF ; 1)
Pour les jeunes de 10 ans et plus.

ISBN 978-2-89746-003-7

I. Addison, Marilou, 1979- . II. Titre.

PS8613.U494L64 2016   jC843'.6   C2015-942695-2
PS9613.U494L64 2016

2e impression : mars 2016

Auteures : Marilou Addison et Geneviève Guilbault
Illustrations : Mika
Graphisme : Julie Deschênes

Dépôt légal — Bibliothèque et Archives nationales du Québec,
1er trimestre 2016

ISBN 978-2-89746-003-7

Gouvernement du Québec — Programme de crédit d'impôt
pour l'édition de livres — Gestion SODEC

Andara éditeur remercie la SODEC pour l'aide
accordée à son programme éditorial.

Imprimé au Canada

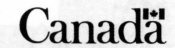

À ma BFF,
elle va se reconnaître…
Marilou

À ma sœur Jacinthe,
ma BFF de tous les temps.
Geneviève

À: Emy-Lee_Samson@coolmail.com
De: Nad@coolmail.com
Objet: Il faut que je t'avoue un truc...

Premièrement, je veux que tu me promettes que tu ne vas pas m'en vouloir pour tout le reste de ta vie (ou de la mienne, tout dépend de celle qui va mourir en premier)... Non, je ne suis pas morbide, mais disons qu'en ce moment précis de ma vie, je me sens trèèèès mal.

OK, promets, et ensuite je t'avoue ce truc que j'ai sur le cœur...

Nad
Ta *best* (qui a peur de ne plus l'être dans les prochaines minutes)

À: Nad@coolmail.com
De: Emy-Lee_Samson@coolmail.com
Objet: RE: Il faut que je t'avoue un truc...

Voyons, Nadeige! BFF à la vie, à la mort, tu le sais bien. Peu importe ce qui t'arrive, je ne te laisserai jamais tomber. N'oublie pas notre pacte. (Je sais, on n'avait que six ans, quand on s'est juré de toujours être là l'une pour l'autre, mais on n'a jamais brisé notre promesse jusqu'à maintenant, non?)

Alors je promets. Voilà, c'est fait!

Maintenant, raconte-moi tout, parce que tu commences à m'inquiéter. Oh! J'espère que ça ne concerne pas ton rendez-vous chez le médecin! Il t'a fait passer des prises de sang, c'est ça? Je te trouvais un peu blême, ces derniers jours.

Écris-moi vite! Sinon, je te jure que je débarque chez vous au pas de course, même si tu habites à l'autre bout de la ville!

Émy-Lee
(Qui sera TOUJOURS ta *best*, mais qui a un peu de mal à respirer, là...)

À: Emy-Lee_Samson@coolmail.com
De: Nad@coolmail.com
Objet: RE: RE: Il faut que je t'avoue un truc...

Bon, je sens déjà que tu paniques, juste à lire le ton de ton message... Ne t'inquiète pas, je n'ai pas attrapé une maladie contagieuse qui me fera mourir dans d'atroces douleurs (et toi, par la suite).

Mais ce que je m'apprête à te dire n'est pas vraiment mieux, après réflexion.

Allez, une bonne dose de courage et voilà, je t'avoue tout :

Mes parents me changent d'école. Pour que je fasse mon secondaire deux dans un collège. (Tu sais, le Collège Saint-Vincent-des-Saints ? Là où il y a le plus de sans-dessein au pouce carré... ?) Bien c'est exactement là où je vais devoir aller. Ce qui veut dire que, pour la première fois de notre vie, on ne sera pas ensemble lors de la rentrée scolaire... Qu'on ne pourra plus manger ensemble à la café. Qu'on ne partagera plus notre casier. Qu'on sera seules toute la journée ! Qu'on va dépérir de tristesse et faire une dépression, et qu'il se pourrait même qu'on ne termine JAMAIS notre secondaire deux !! Que nous n'aurons pas notre diplôme de secondaire cinq et qu'on devra travailler à un salaire de crève-faim pour TOUJOURS !!!

OK, je me calme et je respire. Mais n'empêche... les choses ne sont pas roses. Et tout est de ma faute. Je suis trop nulle à l'école, alors mes parents ont décidé de m'inscrire là-bas. C'est total ridicule comme excuse. Comme si j'allais devenir une bollée en allant dans une école privée. Pour leur prouver qu'ils ont tort, je compte même couler encore plus de cours, tiens !

Nad
Ta *best* (et future décrocheuse…)

À : Nad@coolmail.com
De : Emy-Lee_Samson@coolmail.com
Objet : RE : RE : RE : Il faut que je t'avoue un truc…

C'est ça, ta grande nouvelle ? Relaxe, Nadeige, tu t'en fais pour rien !

On a travaillé super fort pour faire augmenter tes notes, l'année dernière. Je suis allée chez toi toutes les fins de semaine pour t'expliquer des notions de maths, t'épauler dans tes devoirs et t'aider à étudier ta géo et ton histoire. Tout ça pour quoi ? Pour que tes parents t'envoient au collège ? Ben non, voyons !

Je pense que c'est du *bluff*. La rentrée est dans une semaine, ils ne réussiront jamais à t'inscrire à la dernière minute.

Ne te laisse pas avoir par leurs manigances ! ☺

Émy-Lee
(Qui respire nettement mieux)

À : Emy-Lee_Samson@coolmail.com
De : Nad@coolmail.com
Objet : RE : RE : RE : RE : Il faut que je t'avoue un truc…

Hum, hum… Tu entends mon raclement de gorge ? Je me sens comme une traîtresse qui t'aurait joué dans le dos. Parce que, vois-tu, j'ai voulu me cacher la tête dans le sable tout l'été. (Tu sais, comme les autruches ?) Eh bien, j'en suis une belle, autruche ! Oui, je t'ai menti. Par omission. Mais c'est la même chose, comme dirait mon père. Je t'ai caché volontairement la vérité. Je me sentais trop mal pour tout te dire. En plus, je me suis fait croire à moi-même que, si je ne t'en parlais pas, ça ne se réaliserait pas vraiment…

Une belle autruche, hein ?

Et là, je me retrouve à une semaine de la rentrée à devoir magasiner pour mon uniforme. (Je prévois déjà que je serai horrible là-dedans !) C'est d'ailleurs LA raison pour laquelle on ne peut pas se voir demain. J'ai voulu repousser le plus longtemps possible cette atroce nouvelle et je dois maintenant faire face à un vrai scénario de film d'horreur.

Sauf que je ne peux plus faire semblant que ça ne va pas arriver. Toi et moi, on est les meilleures amies du monde. Crois-tu qu'on va pouvoir le rester, même si je dois partir loin de toi ? J'ai juste le goût de pleurer, en ce moment…

Nad
Ta *best* (Est-ce que tu m'en veux, même si je ne suis qu'une autruche ?)

À : Emy-Lee_Samson@coolmail.com
De : Nad@coolmail.com
Objet : Tu es toujours en vie ?

Émy, tu ne me réponds pas ? Je me doutais bien que mon mensonge détruirait notre amitié… Si tu savais comme je m'en veux d'être aussi nulle à l'école.

Nad
Ta *best* (qui attend ta réponse avec impatience)

À : Nad@coolmail.com
De : Emy-Lee_Samson@coolmail.com
Objet : Ton mensonge

Excuse-moi si j'ai mis du temps à te répondre, mais il m'a fallu quelques minutes (quelques heures) pour digérer la nouvelle. En fait, elle est loooin d'être digérée !

Tu essaies d'être drôle avec tes histoires d'autruche, mais ça ne change rien au fait que tu m'as menti, Nadeige. Tu n'avais pas le droit de me cacher une information aussi importante !

Si tu m'avais prévenue avant, j'aurais pu me préparer... Me faire à l'idée que je vais devoir passer TOUTE une année scolaire loin de toi. Au lieu de ça, tu m'as mise devant le fait accompli. «BANG ! C'est ça qui est ça ! Débrouille-toi, maintenant ! »

Tu m'as demandé si je t'en voulais ? La vérité, c'est que je n'en sais rien. Chose certaine, j'en veux trop à tes parents. (Dire que je les trouvais cool ! Ils sont redescendus dans mon estime, ça c'est certain !) Ils n'avaient pas le droit de nous faire un coup pareil !

Bon ! Voilà que je recommence à pleurer.

Je te laisse, j'ai le nez qui coule. Appelle-moi avant de te coucher.

Émy-Lee
(Qui l'aime bien quand même, sa petite autruche !)

1
ÉMY-LEE

D'après ce qu'on raconte, il y aurait un lien entre l'apparence de nos cheveux et notre état de santé. Ce n'est pas moi qui le dis, je l'ai lu dans une de mes revues. Est-ce que c'était dans le *Belle et cool* ou dans *Ados plus*? Je ne me souviens plus, mais c'était hyper sérieux comme article!

Donc, si je me fie à ce que disent les spécialistes, ma tignasse essaie de me faire comprendre que je suis archi malade. Je vous assure! Ce n'est pas une blague! Je suis née en Chine, alors bien entendu, mes cheveux sont habituellement fins, droits et aussi plats qu'une pointe de pizza. Qu'est-ce qui leur prend, d'abord, aujourd'hui? J'ai beau essayer de me coiffer, j'ai l'air d'une vadrouille!

Je ne veux pas dramatiser, mais je pense que j'ai attrapé une maladie rare. Vous savez, le genre de syndrome au nom inexplicable qui fait souffrir ses victimes pendant des semaines avant de les achever? Si ça se trouve, il ne me reste que quelques jours à vivre!

NE PAS OUBLIER :

ALLer sur ma-sante-et-moi.com pour
vérifier l'importance de mes symptômes.
Si je dois mourir bientôt, j'aimerais avoir
le temps de manger un bol de crème glacée
à la menthe et aux brisures de chocolat.
C'est prioritaire !

Bon, OK. J'avoue que j'exagère un peu. Je ne suis peut-être pas à l'article de la mort, mais je suis au bord de la dépression, ça c'est certain. Qui ne le serait pas dans ma situation ? Je viens d'apprendre la pire nouvelle au monde et je devrais faire comme si tout allait bien ? Impossible !

Je ne survivrai jamais à ça !

Allongée sur mon lit, j'allume mon iPod et je relis pour la mille et unième fois le courriel que Nad m'a envoyé. « Mes parents me changent d'école », « on ne sera pas ensemble lors de la rentrée scolaire », etc. Ses mots me font si mal qu'ils me coupent le souffle et m'enserrent la poitrine.

Ouf… Je ne me sens pas très bien, tout à coup… J'ai du mal à respirer ! Est-ce que je suis en train d'avoir une attaque ? Je suis peut-être née avec une malformation cardiaque qui n'a jamais été détectée !

Je dois me calmer !

Si Nad était là, elle me dirait de me concentrer sur ma respiration. Inspirer. Expirer. Elle poserait une main sur mon ventre et me demanderait de le gonfler comme un gros ballon tout rond. Et là, j'éclaterais de rire, parce que c'est complètement ridicule. Elle se fâcherait, je lui ferais une grimace, elle bouderait et je lui expliquerais une fois de plus que ce n'est pas pour moi, les trucs d'introspection et de pensée positive.

Mais Nad n'est pas là pour m'aider, alors je ne vois pas comment je pourrais penser à quelque chose de positif pour me calmer.

Non, elle n'est pas là…

Elle a été kidnappée par un bourreau sans pitié (sa mère !) pour magasiner une combinaison inconfortable et dépourvue de qualités esthétiques (son uniforme !). Je parie qu'elle va piquer une crise quand elle va se voir dans cette tenue. En tout cas, moi, je ne voudrais pas être à la place de la vendeuse qui s'occupera d'elle !

Une voix grave me ramène les deux pieds sur terre.

— Émy-Lee ? Tu peux descendre, s'il te plaît ?

Eh bien ! Mon père me dit toujours de me déplacer au lieu de crier dans l'escalier. Il pourrait montrer l'exemple !

— Pourquoi ?

— J'aimerais que tu me donnes un coup de main avec le repas.

Je soupire. Comme si j'avais la tête à casser des œufs et à couper des branches de céleri !

Qu'est-ce que je fais ? Je me morfonds encore un peu ou je me botte le derrière ? Ma tête me dit d'être gentille et d'aller aider papa, mais mon cœur me supplie de rester dans mon lit pour faire le point sur mes émotions… Parce qu'en ce moment, elles sont toutes mélangées dans mon petit cerveau, mes émotions.

Il faut dire que je n'ai pas l'habitude d'être fâchée. Ça ne fait pas partie de mon tempérament. Mais là, j'ai l'impression d'avoir été trahie par la personne qui compte le plus au monde pour moi. Trahie et trompée. Négligée. Délaissée. Flouée. Nadeige m'a menti et ça, j'ai beaucoup de mal à le digérer !

Le pire, c'est qu'elle pense que son mensonge est moins grave parce qu'elle n'a fait que dissimuler une partie de la vérité. Voyons ! Ça revient au même, non ? On ne peut pas garder pour soi une information aussi importante pendant des semaines sans que ça se transforme en mensonge.

Des semaines ! Franchement !

Si au moins elle avait eu la délicatesse de me prévenir avant, j'aurais pu me faire à l'idée… Ou pas… Je n'en sais rien. Est-ce qu'on peut vraiment s'y faire quand on apprend que tout notre monde vient de s'écrouler ?

— Émy-Lee !

Mon père s'impatiente. Je n'ai pas le choix, je dois y aller.

Je lance mon iPod sur mon lit et je saute sur mes pieds. Avant de sortir de ma chambre, je prends quelques secondes pour inspecter mon reflet dans le miroir. Mauvaise idée ! Je fais si peur à voir qu'on pourrait me confondre avec un zombie dans *Walking Dead*. Attention ! Je ne suis pas en train de dire que je suis fan de cette série-là. Au contraire, je suis bien trop peureuse pour écouter ça ! J'ai déjà vu des annonces à la télé et j'ai senti mon corps ramollir quand ils ont montré les zombies à moitié décomposés. Très peu pour moi!

Non, ce que je veux dire, c'est que j'ai vraiment une tête de déterrée. J'ai tant pleuré depuis hier que mes yeux sont rouges et bouffis.

Bon. Tant pis! Je descends quand même. Si je suis chanceuse, mes parents ne remarqueront rien.

— Ça ne va pas mieux, ma puce? me demande maman, dès que je pose le pied dans la cuisine.

Elle m'observe intensément, un linge à vaisselle dans une main, un verre dans l'autre. La tristesse doit se lire sur mon visage parce qu'elle a cet air inquiet que je lui connais bien quand elle s'en fait pour moi: un sourcil relevé, la tête penchée sur la droite.

J'ai deux choix. Ou je fais semblant que je me sens déjà beaucoup mieux (ha! ha! je ne réussirai jamais à lui faire croire ça!), ou j'éclate en sanglots encore une fois (et j'en ai pour des heures à m'en remettre).

— Bof…

Cette option n'est pas mal non plus. Celle de l'indifférence. De l'ado tourmentée qui n'a pas trop envie de parler. Maman retourne à sa vaisselle sans me poser plus de questions, tandis que papa me dépose un couteau dans les mains.

— Tu peux hacher les oignons, s'il te plaît ?

Je lève les yeux au ciel. Des oignons ? Tout le monde sait ce que ça fait, couper des oignons ! C'est une conspiration ou quoi ? Mes parents pensent que je n'ai pas encore assez pleuré comme ça ?

Je grommelle une réponse impossible à décoder et je m'installe au comptoir après m'être soigneusement lavé les mains. À peine ai-je donné deux ou trois coups de couteau que, déjà, mes yeux se mettent à piquer. Je les frotte du bout des doigts, mais c'est encore pire. Les larmes coulent sans que je puisse les en empêcher.

Torbinouche ! Je dépose mon couteau et j'attrape un mouchoir pour les essuyer.

— Tu as le droit d'avoir de la peine, tu sais, articule lentement mon petit frère, les yeux gonflés d'amour.

— Je n'ai pas de peine, lui dis-je aussitôt.

— Mais oui, voyons. Ça se voit. Tu veux que je te tienne la main ?

Je l'observe un moment. Liam n'est pas un enfant comme les autres. Il est doté d'une profonde empathie qui ne cesse de me toucher. Est-ce dû à son handicap ? Probablement.

Mon frère est né avec une paralysie céré-brale. J'ai donc passé mon primaire à expliquer à ceux qui se moquaient de lui qu'il est aussi intelligent que n'importe qui, mais qu'il est emprisonné dans un corps qui ne veut pas bouger comme celui des autres enfants. Il arrive à parler et à tenir une cuillère, et il apprend même à lire. Il ne pourra toutefois jamais marcher, courir ni s'habiller seul. Tout ça parce que son cerveau a manqué d'oxygène à la naissance.

Au moins, il a eu la chance d'être adopté par la plus merveilleuse des familles : la MIENNE. J'ose à peine imaginer de quelle manière on l'aurait traité si mes parents ne l'avaient pas sorti de cet orphelinat de Shanghai. D'après ce qu'ils nous ont raconté, c'était loin d'être un hôtel quatre étoiles !

— Oui, je veux bien que tu me tiennes la main, lui dis-je finalement.

Je m'approche de son fauteuil roulant et je glisse mes doigts dans les siens. Liam me fait son plus beau sourire et je lui rends avec plaisir. Je ferme les yeux et je profite du moment. J'oublie presque Nadeige. J'oublie presque le fichu Collège Saint-Vincent-des-Saints et j'oublie presque à quel point je suis malheureuse… Jusqu'à ce que j'ouvre les paupières…

Mon sang ne fait qu'un tour ! Dites-moi que ce n'est pas vrai ! Je me redresse d'un bond et j'agrippe le livre qui est posé sur le comptoir de la cuisine. En le levant bien haut dans les airs, je m'écrie :

— Qu'est-ce que c'est ? Qui a acheté ÇA ? C'est pour moi ?

Le titre est insultant : *Comment se faire des amis pour les nuls*. Maman me regarde d'un air troublé.

— Je t'avais bien dit que ce n'était pas une bonne idée…, marmonne-t-elle à l'intention de mon père.

— Voyons, Émy-Lee ! réplique celui-ci, tout sourire. Ce n'est qu'une petite blague pour te remonter le moral.

— Elle n'est pas drôle, ta blague ! Je n'ai pas besoin de me faire des amis ! Et je n'ai pas besoin non plus que tu me remontes le moral !

Je ne lui laisse pas le temps de répliquer. Déjà, j'enfile mes chaussures et je claque la porte d'entrée.

J'ai besoin d'air.

Loin d'être en état d'apprécier la chaleur du soleil sur ma peau, je marche jusqu'au parc sans trop m'en rendre compte. Mes jambes avancent malgré moi. Je suis peut-être un vrai zombie, finalement ! Si au moins quelqu'un pouvait m'arracher la cervelle, j'arrêterais de ressentir toutes ces émotions douloureuses.

Je m'assois sur une balançoire et je regarde le livre qui est encore entre mes mains. Dans ma furie, j'ai oublié de m'en débarrasser. Un tel ouvrage ne mérite pas d'exister. Pas dans ma vie, en tout cas ! Quelle honte, un truc pareil ! Je n'ai pas l'intention de remplacer Nad. Si c'est ce que mes parents espèrent, ils vont être déçus !

— Salut, Émy-Lee.

Je tourne la tête et je vois Maxime-Alexandre qui avance vers moi. Maax (c'est un beau surnom, hein ?), c'est un gars de mon école. Je l'ai toujours admiré en secret parce qu'il est super beau et qu'il est très sportif, mais pour être honnête, je ne savais même pas qu'il connaissait mon nom. Je le salue de la main, la bouche soudainement très sèche.

Wow ! Qu'est-ce qu'il a changé pendant l'été ! Il a grandi d'au moins deux pouces, ses cheveux sont un peu plus longs et son visage... Re-wow ! Son visage est encore plus beau qu'auparavant. L'été a fait ressortir quelques taches de rousseur sur son nez. Je fonds... Il est superbe, alors que moi...

Oh! Non! Il ne doit surtout pas me voir comme ça! Les yeux bouffis, le nez morveux, les cheveux dans tous les sens, ce n'est pas bon pour mon image! Je lève mon livre pour me cacher en arrière.

— Très intéressant, ta lecture, me dit Maxime-Alexandre, pince-sans-rire. Tu as perdu tous tes amis pendant les vacances? Tu veux que je t'aide à les retrouver?

Je suis la reine des imbéciles! Pourquoi ne pas me promener avec « seule au monde » écrit sur le front, tant qu'à y être!

Incapable de répliquer quoi que ce soit, je fais volte-face et je quitte le parc en courant comme une gamine, pendant que j'entends la voix de Maax crier mon nom. Y a pas à dire, je fais preuve de beaucoup de maturité avec les garçons!

Émy, j'y suis.

Je vais bientôt entrer dans ce magasin des horreurs…

Souhaite-moi bonne chance

Parlant d'horreur, Nad, tu ne sais pas ce qui vient de m'arriver ! La honte !

Tu ne vas pas me laisser comme ça, sans plus de détails !

Envoye, *shoot* ! J'ai encore ¾ de seconde avant que ma mère sorte de la voiture et m'oblige à la suivre. Tu as le temps de m'en dire un peu plus…

Bah ! Ça se résume à : trop long à raconter !

C'est le genre d'histoire qui mérite qu'on n'oublie aucun détail tellement j'ai eu l'air nouille. Je te jure ! Plus cloche que ça, tu meurs !

Mais voyons ! Toi, tu n'as jamais l'air d'une nouille ! Tu dois encore exagérer. (Ça, par contre, ça t'arrive souvent !)

Non, non, je n'exagère pas. Une chance que tu n'étais pas là, Nad, je te jure que tu aurais été gênée d'être mon amie.

Bon, je te laisse ! Tu me diras c'était comment, le magasin des horreurs.

Je suis sûre que tu vas être éblouissante dans ton uniforme.

Je pourrais déjà te résumer mon passage là-bas en un seul mot, et tu sais lequel...

Une chance que tu n'es plus fâchée contre moi, parce que je ne sais pas comment je ferais pour traverser cet enfer !

Dès mon retour de la visite du collège, je te rejoins chez toi.

À tantôt !

OK ! À plus !

2

NADEIGE

Je suis HORRIBLE! Pas seulement parce que je n'ai pas pris la peine d'essuyer ma bouche après avoir bu du lait au chocolat. (Il n'y a rien de moins joli qu'une fille avec une moustache de lait, c'est connu!) Pas non plus à cause de ce bouton qui s'est pointé sur mon menton durant la nuit! (Non mais, c'est vrai, POURQUOI les boutons naissent-ils tous pendant qu'on dort? C'est parce qu'on n'est pas aux aguets et qu'on ne les voit pas venir, c'est ça? Alors ils peuvent agir en toute impunité. Impunité, mot appris de ma BFF Émy-Lee.) Et ce n'est certainement pas parce que j'ai les yeux rouges à force d'avoir tant pleuré... (Alors que moi je suis zéro braillarde dans la vie, promis-juré!)

Non, je suis horrible parce que je porte cet affreux, cet inconfortable, ce ridicule uniforme pour le Collège Saint-Vincent-des-Saints (un nom de collège beauuuucoup trop pathétique, non?). Et moi, Nadeige Leblanc (OK, sur mon nom aussi, on peut rire en masse... Ce n'est quand même pas la première fois que quelqu'un m'appelle

NaBEIGE LEBLANC !!! Ha! Ha! Ha! Je suis morte de rire...), je suis OBLIGÉE d'aller dans ce collège cette année !

Parce que (excuse totalement ridicule donnée par mes parents), il semblerait (notes à l'appui, bon, d'accord) que j'ai un peu (complètement, en fait) coulé certaines matières, l'an dernier. Alors que j'étais en secondaire un… OUI, je suis nulle en géo et en histoire ! Et puis ?! Je ne compte pas devenir historienne ou géo… géomancienne ? (Penser à demander à Émy-Lee quel est le métier de ceux qui étudient en géographie.) Non mais, c'est vrai, à quoi ça sert, des cours de géo ? Je m'en fous de savoir où est le Québec, le Mexique ou la France ! C'est quand même bien sur le même continent, non ? Non, hein… ? OK, je suis nulle.

Mais quand même, j'ai plutôt bien réussi mes maths. Et j'ai eu soixante-cinq en français, ce qui n'est pas rien. Bon, ce n'est pas non plus la note du siècle, mais j'ai le temps de me reprendre. Ce que je ne digère pas, c'est la réaction de mes parents quand ils ont ouvert l'enveloppe contenant mon bulletin. Ma mère s'est mise à crier. OUI ! À crier ! J'étais sûre qu'elle venait de lire un message lui annonçant que quelqu'un était mort ! Alors je suis venue la consoler au plus vite (à cette époque, j'aimais encore mes parents…),

mais elle m'a aussitôt envoyée dans ma chambre.
DANS MA CHAMBRE! Comme une gamine de
deux ans! Surtout que ça n'avait pas rapport, j'ai
une télé, un ordi et un cell, dans ma chambre.
Pour une punition, on repassera!

D'ailleurs, mon père n'a pas hésité à repasser... Quelques minutes plus tard, il est entré en
trombe dans ma chambre et il a TOUT débranché! De la télé jusqu'à mon réveille-matin! OK,
pas le réveille-matin, j'exagère un peu. Et ensuite,
ils se sont mis en tête de me changer d'école.
D'ailleurs, c'est là où je veux en venir... Ils ont
réussi (je ne sais pas comment ils s'y sont pris,
parce qu'avec mes piètres résultats, aucune école
digne de ce nom n'aurait dû m'accepter...) à me
trouver une place à ce collège machin pour les
sans-dessein! (Je ne vais pas me gêner pour
faire des jeux de mots poches sur ce collège, en
tout cas!)

Donc, j'avais réussi à étirer le plus possible
le moment où je devrais aller acheter mon uniforme (dans l'espoir un peu fou que mes parents
oublieraient de m'habiller), mais ce matin, pas
moyen de passer mon tour (comme au Monopoly). J'ai dû suivre ma mère jusqu'ici, dans cet
entrepôt miteux. Oui, oui! Miteux! (Ça aussi,
c'est Émy-Lee qui le dit.) Où je suis quasi certaine

d'avoir vu un rat rôder, tout à l'heure, pendant que j'essayais les chemises blanches (Yark! En plus, je dois porter une CRAVATE! Une fille avec une cravate, ça ne devrait pas être permis par la loi...), les polos (immondes, dans un tissu qui me pique sous les bras), les jupes à carreaux qui me font un gros derrière (que je dois porter SOUS les genoux, pour être sûre d'avoir l'air dix ans plus vieille, tsé!) et les pantalons bleu marine dans lesquels on a l'impression de perdre dix livres de sueur dès qu'on les enfile...

Je suis HORRIBLE! Je n'arrive pas à trouver un autre adjectif. J'ai beau tourner sur moi-même devant le miroir sur pied, m'imaginer avec des talons hauts (ce qui, de toute manière, est interdit à ce collège sans dessein et sans goût!) ou rouler ma jupe pour la raccourcir, le résultat reste toujours le même. Et je sais que je commence à me répéter, mais :

JE SUIS HORRIBLE!!!

La preuve? Ma mère arrive derrière moi et ne peut retenir une grimace, avant de me sourire pour m'encourager. Je lui fais un air de bœuf (je suis devenue très bonne dans cette matière, cet été; ils devraient même penser à la rajouter au programme scolaire...) et je marmonne :

— Maman, je ne veux pas aller au collège !
Je l'haïs, cette école !

— Nadeige, tu ne peux pas déjà la détester,
tu n'y as jamais mis les pieds. D'ailleurs, il va falloir se dépêcher, car, comme tu es nouvelle cette
année, le directeur a proposé de nous faire visiter
les locaux cet après-midi. Alors on paie tout ça et
on y va.

— Je pense que tu n'as pas compris, maman.
JE NE VEUX PAS y aller ! Ça va être la pire année
de ma vie !

— Je sais que ce n'est pas facile pour toi,
mais j'aimerais au moins que tu fasses un effort,
ma grande. Sois ouverte d'esprit et ne te mets pas
de barrière. Peut-être que tu vas découvrir que tu
adores ce collège et…

— IMPOSSIBLE ! En plus, je ne verrai
presque plus Émy-Lee et je vais être toute seule,
sans aucun ami ! Et je suis HORRIBLE avec ça !!!
dis-je en pointant la chemise et la cravate.

Ma mère soupire (elle, c'est là-dedans qu'elle
est super douée...) et m'ignore, pour dire à la
vendeuse qu'on va prendre cinq chemises, deux
cravates, une jupe et un pantalon. Attends, rembobine… UNE JUPE ET UN PANTALON ???
Pour une semaine complète ?!

— Ben là, tu vas être obligée de faire du lavage tous les jours, maman. On ne devrait pas plutôt…

— Non, tu peux porter ta jupe plusieurs jours de suite, ça ne te tuera pas. On va aussi lui choisir un cardigan et un débardeur, là-bas, continue-t-elle, en s'adressant de nouveau à la vendeuse.

Mais il est hors de question que je ne réagisse pas devant cette énormité. Porter le même vêtement plusieurs jours de suite??? Ma mère est devenue folle, cet été. La chaleur doit lui avoir affecté quelques cellules du cerveau. Voyons! Pas question que je porte du linge sale!

— Euh, scuse, maman, mais non.

— Quoi, non? demande-t-elle en se tournant vers moi.

— C'est non. Je ne porterai pas ma jupe cinq JOURS sans la laver!

— Dans ce cas, tu apprendras à faire du lavage, ma grande. Bon, où on en était…?

Et elle repart vers les étagères, m'abandonnant à mon désespoir. Ma vie est fichue. C'est la rentrée scolaire la plus HORRIBLE (*encore ce mot*!!!) de ma courte existence. Non seulement je ne verrai plus ma meilleure amie à l'école, mais en plus, je vais vivre dans des vêtements crottés.

Pire que ça : je vais devoir laver moi-même mon linge !

Je déteste ma vie ! Je déteste ma mère ! Je déteste mes parents ! Je déteste ce collège ! Et surtout, je déteste cet uniforme !!! (Mais pas les points d'exclamation, visiblement...)

* * *

Je me sauve en vitesse. Je viens d'avoir la conversation la plus humiliante qui soit avec un gars de mon « ancienne » école... Un certain Maxime-Alexandre. Il m'a demandé pourquoi je sortais de ce magasin. Euh... triple andouille, je pense que c'est évident que c'est une boutique de vêtements pour les collèges ! La logique veut que je me sois acheté un uniforme (HORRIBLE !)... Zut de zut, moi qui espérais que personne n'apprendrait cette mauvaise nouvelle avant un certain temps. Mais non ! L'info risque de se répandre avant la rentrée scolaire, maintenant.

Ma mère dépose nos sacs remplis de vête-ments (horribles) dans le coffre arrière de la voi-ture. Moi, je me faufile sur le siège passager et croise les bras sur ma poitrine. Technique 101 pour bien montrer à sa mère qu'on boude. Mais je dois avouer que ça commence à avoir de moins en moins d'effet sur elle. Il faudra que j'affûte (merci, Émy-Lee, d'élever mon niveau de vocabulaire) ma technique.

Je ne sais pas ce que je vais faire, sans ma BFF… Je vais sûrement moisir dans un recoin sombre du collège. Je vais longer les murs en essayant d'éviter le plus possible les contacts humains et, dans quelques mois à peine, je vais peut-être finir par perdre mon célèbre sens de la répartie. De toute manière, je ne vois pas pourquoi je réussirais davantage ici qu'à l'école publique. C'est un argument zéro convaincant. À mon ancienne école, au moins, Émy-Lee était là pour m'aider si je ne comprenais pas un truc. Là-bas, personne ne viendra à ma rescousse. Mes parents, eux, ils croient plutôt qu'avec l'armée d'orthopédagogues et de TES qu'il y a dans ce collège, je vais devenir meilleure. Pfff… N'importe quoi !

De toute manière, je ne suis pas une idiote, je suis juste constamment dans la lune. J'ai de la difficulté à me concentrer et j'ai tout le temps besoin de bouger. Je serais capable de passer mes examens haut la main, si seulement je pouvais les faire en joggant sur place. Mais non, aucun professeur n'a jamais accepté ma proposition. (Eh oui, je leur en ai déjà parlé, mais ils ont juste

éclaté *de rire…*) Je pourrais aussi avaler ces médicaments que ma mère m'a achetés, mais je n'aime
pas l'effet qu'ils me font. Ils me rendent agressive
et je déteste la terre entière quand j'en prends.
(Bon, ce n'est pas tellement différent quand je
n'en prends pas, on me dira, mais MOI, je vois
bien que ça ne me fait pas!) Alors on a mis ça de
côté pour le moment.

Et je fais du sport pour douze! Au moins,
mes parents ont décidé de ne pas m'enlever ça. Je
suis donc dans l'équipe de natation de la ville. Je
joue aussi au badminton les vendredis avec mon
père. Le matin, je m'entraîne à la course. (L'autobus passait plus tard, à mon ancienne école,
mais au collège, je devrai peut-être renoncer à
courir, parce que l'horaire est différent et je me
vois mal faire du jogging à l'heure des poules…
j'ai toujours détesté les poules, tout le monde
le sait!) Sans compter que je m'arrangeais souvent pour aller au gymnase sur l'heure du midi,
quand Émy-Lee avait des réunions pour le journal étudiant. Je ne sais pas si je pourrai faire la
même chose au collège. Est-ce qu'il y aura des
activités sportives, le midi?

Je m'apprête à le découvrir, parce qu'on s'en
va joyeusement (non, ça, c'est du sarcasme…) visiter mon nouveau collège. Comme ma bouderie ne

mène à rien, je décide de revenir encore une fois à la charge, question de bien énerver ma mère.

— Je n'ai pas le goût d'aller faire cette visite. Je n'ai même pas le goût d'aller là-bas, alors tu imagines que je me fiche de ce dont aura l'air ce stupide collège. Une école, c'est une école. Avec des murs, des fenêtres et des pupitres. Maman… pourquoi on va là-bas aujourd'hui ? Ça me gâche la fin de mon été et je perds une journée où je pourrais voir Émy-Lee !

— Ça fait des semaines que tu refuses d'en entendre parler. Tu ne sais même pas où ton collège est situé. Il est plus que temps que tu en apprennes davantage sur ta nouvelle école. Et c'est maintenant que ça se passe. J'ai pris congé pour y aller avec toi. Alors arrête un peu de te plaindre, même si je sais que c'est sûrement le sport dans lequel tu es la meilleure…

Je lui fais les yeux ronds, avant de lui répondre, étonnée :

— Maman… Tu as fait une blague ! Bon, elle n'était pas très drôle, mais quand même. J'ai presque souri, en plus.

— Alors là, il aurait fallu que je le note sur le calendrier. Ma fille qui sourit ! Wow ! réplique-t-elle, pince-sans-rire.

— Encore une! Faudrait quand même pas t'épuiser, tu sais. Vas-y progressivement, c'est ça le truc...

Elle me lance un regard en coin et je vois apparaître une fossette sur sa joue. On a la même, elle et moi. Mais puisque je ne souris pas très souvent (sauf quand je suis avec ma BFF), il n'y a pas grand monde qui le sait. J'ai à peine le temps de reprendre mes esprits (ma mère qui fait des blagues, on aura tout vu!) qu'elle stationne la voiture et arrête le moteur. Ça y est, le moment tant redouté est arrivé. Je vais devoir mettre les pieds dans ce collège que je déteste. Au moins, il me reste encore une semaine avant que l'école ne débute. Ce n'est qu'une sorte de répétition. Pour voir si je peux survivre à l'intérieur de ces murs sans faire de crise de panique parce qu'Émy-Lee est loin de moi.

Je relève ma vitre et je sors de la voiture, le cœur battant. Malgré moi (parce que vraiment, je ne VEUX PAS trouver que l'endroit est beau), j'admire le terrain de basketball, à une extrémité de la cour. Dans un autre coin, il y a une piste de course, et derrière celle-ci, on peut apercevoir la rivière, en bordure du terrain du collège. OK... ce ne sera pas facile. Je déclare forfait (car je sais reconnaître mes erreurs). Cet endroit est juste TROP *hot*! Je vais pouvoir faire du sport sur des surfaces parfaites. Je vais… je vais…

Non. Je vais détester ce collège. Je vais détester ce collège. D'ailleurs, je le déteste déjà d'être en train d'essayer de me faire oublier pourquoi je le déteste! Et même si personne ne me comprend, je m'en fiche, je déteste tout ce qui m'entoure. Point.

Je me force pour me traîner les pieds et suivre ma mère à bonne distance. Il ne faut pas démontrer de l'intérêt. Mais elle ne se préoccupe pas de mon attitude et en profite pour pointer du doigt tout ce qui pourrait me plaire, en lâchant de grands cris de joie.

— Ooooh! Tu as vu la rivière!? Et là! Tu pourras jouer au basketball! Et faire de la course! Si tu apportes ta raquette de tennis, tu pourras même jouer là-bas. Nadeige, comme tu es chanceuse…

C'est ça, à d'autres! Si elle est si jalouse de ma chance, qu'elle vienne ici à ma place! Je grogne une réponse inintelligible (parce que rien ne me vient, mais je veux continuer de montrer mon désaccord) et la dépasse, car elle s'est arrêtée pour admirer les lieux. Je suis donc la première à arriver face aux portes principales, qui s'ouvrent justement à ce moment. Puisque je suis seulement à quelques centimètres de celles-ci, je manque de basculer vers l'arrière, mais deux mains me retiennent et m'en empêchent.

Déstabilisée, je plonge les yeux dans ceux d'un garçon qui doit avoir environ mon âge et qui me sourit gentiment. OUI, je prends conscience que c'est sûrement LE PLUS BEAU GARS que j'aie vu de ma courte vie, mais NON, je ne vais pas soudainement être intéressée par ce collège pour autant! Ma mère vient nous rejoindre et se présente.

— Bonjour, nous venons visiter le collège. Tu viens ici, toi aussi? Mais l'école ne commence que dans une semaine, non?

— Ah, c'est parce que mon père travaille ici. Comme il a un truc à faire, je dois l'attendre encore un peu. Je pensais aller jouer au basket. J'ai laissé un ballon dans notre auto et j'allais le chercher.

— Bon, alors tu peux me lâcher, maintenant? dis-je un peu brutalement (et très franchement, c'est aussi mon ton habituel...).

Le garçon recule d'un pas vif et s'excuse. Je fais cet effet-là aux gars, en général. C'est-à-dire que je leur fais peur... Mais quoi!? Je n'aime pas trop l'air nunuche de certaines filles quand elles s'adressent aux garçons, et je n'ai pas le goût d'entrer dans ce jeu-là, moi. Alors j'aime mieux les tenir à distance. Celui qui nous fait face se décide à nous ouvrir la porte (*ouuuh... quelle galanterie...*) et hoche la tête, en signe de salut, avant de disparaître en direction du stationnement.

Malgré moi, je ne peux m'empêcher de le regarder s'éloigner. VRAIMENT malgré moi, car je ne suis pas longue à reprendre le contrôle de ma tête et à me tourner vers l'homme qui vient nous accueillir avec les bras grands ouverts.

— Bonjour, mesdames! Tu dois être Nadeige, c'est ça? Je suis très content de te rencontrer. Je suis le directeur du premier cycle. Tu peux m'appeler monsieur Lenoir.

Intérieurement, je soupire. Monsieur Lenoir. Avec une Nadeige Leblanc. C'est trop ridicule pour que je ne porte pas de jugement sur la situation. Mais les *jokes* plates, je les garde pour une autre fois, car je sens le regard de ma mère posé sur moi. Avec un plaisir malsain, le directeur se décide à nous faire visiter tous les locaux de l'école. Et comme je l'avais anticipé, ce ne sont que murs, fenêtres et pupitres que je découvre. Rien de bien différent sous le soleil…

Mais en sortant de là, je ne peux m'empêcher de chercher le garçon qui a failli me tuer (ça s'appelle de l'exagération et il n'y a rien de mal là-dedans !) dans la cour. Il est encore là, à faire dribbler son ballon devant le filet. Et il ne m'envoie même pas la main quand je passe à quelques mètres de lui. Quel impoli, celui-là ! Mais bon, je l'ai peut-être un peu mérité, il faut dire…

À : Emy-Lee_Samson@coolmail.com
De : Nad@coolmail.com
Objet : Trucs pour te remonter le moral

Bon, je n'ai pas le choix, je vais devoir te relire les cinq premiers éléments de notre liste de trucs en cas de panique extrême. Tu sais, la liste que nous avons dressée toutes les deux, quand nous étions plus jeunes ET que nous avions appris que nous ne serions pas dans le même groupe, en troisième année ? J'ai la désagréable impression que la situation est en train de se reproduire. Sauf que cette fois, je ne serai pas à quelques mètres seulement de toi, mais à des kilomètres !

Donc, voici ce que j'ai réussi à me rappeler. J'espère que ça te servira pour demain…

TRUC n° 1 :
Inspire pendant cinq secondes. (Ne viens pas me dire que tu arrives à peine à le faire durant trois secondes, TOUT le monde peut le faire cinq secondes, même toi ! Et NON, tu ne deviendras pas bleue !) Puis, retiens ta respiration trois secondes (encore un peu d'effort), et expire durant cinq secondes. Répète en posant la main sur ton ventre pour le sentir se gonfler. Répète le nombre de fois que tu veux.

TRUC n° 2 :

Fais de la visualisation. Répète ce mantra après moi : « Tu es la plus grande (c'est une IMAGE !), tu es la plus belle (OUI, tu es super belle !) et tu es la plus courageuse (je le pense vraiment !). » Dis-le au moins dix fois de suite dans ta tête. Sans arrêter.

TRUC n° 3 :

Va faire de l'exercice. Je sais que tu détestes bouger, mais fais un effort. Va jouer dehors avec ton frère (ah non, mauvais exemple, désolée...), sors promener le chien du voisin ou joue à la Wii, au pire. Mais remue-toi le popotin !

TRUC n° 4 :

Change-toi les idées en écoutant un bon film, en appelant ta BFF (tiens, c'est moi, ça !), en prenant un énooorme bain de mousse, ou en faisant n'importe quoi d'autre qui va te faire oublier ton angoisse. Ça marche toujours dans mon cas. Comme tu le sais, je vis constamment dans le déni (la preuve, mon mensonge de cet été...).

TRUC n° 5 :

Dernier truc, mais non le moindre... écris-moi. Rédige-moi la plus longue lettre de découragement de ta vie. Tu vas te sortir de la tête tout ce qui te fait peur et, ensuite, peut-être te rendras-tu compte que ce n'est pas la fin du monde. Je dis bien peut-être...

Sur ce, je m'en vais de ce pas essayer les trucs que je viens de te donner. Parce que pour être franche, moi aussi, je suis en mode panique. Toi, au moins, tu sais ce qui t'attend à l'école. Alors que moi, je pars pour l'inconnu…

Nad
Ta *best* (qui t'envoie des ondes positives!)

À : Nad@coolmail.com
De : Emy-Lee_Samson@coolmail.com
Objet : RE : Trucs pour te remonter le moral

C'est bien toi, ça!

Je te l'ai dit au téléphone et je te le répète ici : je n'ai pas besoin de tes techniques de ressourcement machin truc chose de respiration et de visualisation. Oui, je suis un peu nerveuse (bon, peut-être un peu beaucoup, passionnément, jusqu'à devenir complètement folle…), mais je saurai le gérer. Je DOIS le gérer.

On n'est plus en troisième année, Nad. Faut vieillir un peu!

Ce soir, je vais dormir sur mes deux oreilles et me réveiller en super forme pour mon premier jour d'école sans toi.

Émy-Lee
(Qui t'encourage à grandir, toi aussi !)

À : Emy-Lee_Samson@coolmail.com
De : Nad@coolmail.com
Objet : RE : RE : Trucs pour te remonter le moral

C'est pas très gentil, ça, Émy. Je voulais juste t'aider, tu sais. Mais bon, puisque tu n'as plus besoin de moi…

Nad

À : Nad@coolmail.com
De : Emy-Lee_Samson@coolmail.com
Objet : Insomnie psychosomatique sévère la veille de la rentrée

J'ai peur, Nad ! Si tu savais comme j'ai peur !

Je retire ce que j'ai dit tout à l'heure, je ne gère PAS DU TOUT! J'ai essayé tous tes trucs, rien ne fonctionne! J'ai beau me répéter que je suis la plus grande (pff!), la plus belle (et quoi encore!) et la plus courageuse des filles de l'école, mon cerveau n'y croit tout simplement pas. Il rit de moi. Et en plus, il m'empêche de dormir, ce qui veut dire que non seulement je vais être terrifiée pour mon premier jour d'école, mais, en plus, je vais faire peur à tout le monde avec mes yeux pochés et ma face toute plissée.

J'ai tout essayé pour me calmer. Je suis allée marcher, question de m'aérer l'esprit (quinze longues minutes, tu vas être fière de moi!), j'ai bu une tisane aux herbes de «trucs-verts-qui-sentent-la-moufette-écrasée-sur-l'autoroute», et j'ai pris un bain chaud rempli de mousse.

Raté. Aucun changement.

Alors, j'ai vérifié le contenu de mon sac à dos pour la deux centième fois, parce que tu me connais, tu sais à quel point j'ai peur d'oublier des trucs. Tout y était (évidemment!). J'ai donc classé mes crayons par ordre alphabétique de couleur, mais ça ne m'a servi à rien parce qu'ils se sont mélangés à nouveau au moment où je les ai replacés dans mon étui.

Bref, je suis perdue. Et terrifiée.

C'est ma première rentrée scolaire sans toi depuis la maternelle. Tu imagines? Demain, quand je vais entrer dans la poly, je serai seule… Seule dans mon casier, seule dans les couloirs, seule à mes cours, seule à la cafétéria…

Un vrai rejet. Le pire déchet de la poly.

Bon. Je te laisse. Si ma mère se lève pour aller à la toilette (elle se lève dix fois par nuit, c'est fou!), elle sera furieuse de me trouver devant mon ordi.

Je t'appelle demain en revenant de l'école.

Émy-Lee
(Qui a l'impression d'être en plein cauchemar)

3

ÉMY-LEE

Je pense que je m'apprête à vivre la pire journée de ma vie…

J'ai voulu me convaincre que je pouvais y arriver, mais je vois bien que ça ne sera pas possible. Je viens à peine d'entrer dans l'école que, déjà, je tremble de partout. Qu'est-ce qu'elle est grande, notre polyvalente! Une vraie jungle! Comment je vais faire pour me frayer un chemin, alors que je suis entourée de gorilles de six pieds de haut, de gazelles au maquillage impeccable et de serpents venimeux? Nadeige est indispensable à ma survie! Sans elle, j'ai l'air d'un ouistiti effrayé. Pire encore: d'une minuscule araignée facile à écrabouiller.

Insecte ou pas, je n'ai pas le choix. Je dois mettre un pied devant l'autre, même si je rêve de me rouler en boule dans un coin pour pleurer toute la journée.

— Hé! Émy-Lee!

Cette voix ne m'est pas inconnue. Je me retourne et j'aperçois la tête de Clémence qui dépasse toutes les autres au milieu de la cohue.

Je lui fais signe de me rejoindre. Non pas qu'elle soit une de mes bonnes amies, mais elle a toujours été gentille avec moi. Et ce matin, j'ai grand besoin de gentillesse dans ma solitude de fille abandonnée.

— Wow! Clémence! Tu as mangé de la graine de géant ou quoi? lui dis-je, impressionnée par sa poussée de croissance. J'arrive à peine à te reconnaître!

Clémence lève les yeux au ciel.

— Je sais! lâche-t-elle, découragée. Ne m'en parle pas! J'ai tellement grandi pendant l'été que j'ai dû refaire ma garde-robe au complet.

Y a pas à dire, on n'est pas pareilles, toutes les deux! Il y a une foule de choses qui me font lever les yeux au ciel, mais magasiner pendant des heures pour refaire ma garde-robe n'en fait pas partie.

EN ÉCHANGE, VOICI CE QUI EN FAIT PARTIE:

1. C'est le jour de la rentrée. Finies, les vacances. Finis, les après-midi à me prélasser sur le bord de la piscine avec un livre et de la musique.

② Encore pire: c'est Le jour de La rentrée SANS Nad.

③ J'ai eu mon horaire de chnoute et mon prof d'anglais est Maude Hébert (alias « Mauve et Vert »), La plus vieille, La plus sévère et La plus malodorante de tous Les profs de La polyvalente.

④ Clémence a maintenant une tête de plus que moi, ce qui n'arrange en rien mon complexe d'infériorité.

⑤ C'est Le jour de La rentrée SANS Nad (oui, je L'ai déjà dit, mais je vis un drame en ce moment, alors j'ai Le droit de me répéter).

⑥ J'ai L'impression que je vais devoir répondre à La même question touuuute La journée... et je parie que ça va commencer dès maintenant.

— Où est Nadeige? Elle n'est pas encore arrivée?

Et voilà! Qu'est-ce que je disais? Tout le monde sait que nous sommes inséparables, toutes les deux, alors dès qu'un membre de notre duo d'enfer manque à l'appel, les gens s'inquiètent. Je prends l'air de rien, même si la question de Clémence m'affecte plus que je voudrais le montrer.

— Elle ne viendra pas. Elle a changé d'école.

Évidemment, Clémence a beaucoup de mal à le croire.

— Hein? Pourquoi? Elle a déménagé? demande-t-elle, les yeux ronds.

— Non.

— Vous vous êtes disputées?

— N'importe quoi! Tu sais bien qu'on ne se dispute jamais.

— Oui, ben ça, c'est un vrai mystère, marmonne Clémence. Je ne sais pas comment tu fais pour endurer son caractère de chnoute.

— Hé!

Je fronce les sourcils et je m'apprête à répliquer, mais déjà, la curiosité l'amène à me questionner:

— Qu'est-ce qui s'est passé, alors?

J'ai deux choix. Ou je dis la vérité (et tout le monde saura que Nadeige a réussi sa première année de secondaire de peine et de misère), ou j'invente un truc (et je sauve son honneur tout en devenant, par le fait même, une horrible menteuse). La deuxième option s'impose d'elle-même. Tant pis pour ma réputation de fille honnête. Je sors le premier truc qui me passe par la tête.

— Ses parents sont partis élever des alpagas en Bulgarie. Elle va donc être pensionnaire à Saint-Vincent-des-Saints pendant toute l'année scolaire.

— Hein? Des alpagas? C'est quoi, des alpagas?

Je roule les yeux (franchement, tout le monde connaît ça, non?) et je lui explique qu'il s'agit de mammifères domestiques qui ressemblent comme deux gouttes d'eau aux lamas.

Clémence m'observe avec attention. Sa bouche s'ouvre et se referme. Son nez se plisse. J'y suis peut-être allée un peu fort, avec les alpagas. Ce n'est pas ma faute, les mensonges et moi, ça fait deux!

— Tu te moques de moi?

— Malheureusement pas.

— C'est énorme, Émy-Lee! Qu'est-ce que tu vas faire, sans elle? Ton année va être épouvantable!

— Je te remercie! Tu es très encourageante!

— Qui va prendre ta défense dans les couloirs de l'école? s'inquiète-t-elle. Qui va s'occuper de toi quand tu fais une crise de panique parce qu'une mouche a touché à ta pomme juste assez longtemps pour y déposer plein de bactéries?

My God! Je veux m'en aller, me sauver loin de cette réalité qui me chavire l'intérieur, mais Clémence enroule un bras de la longueur d'un boa constrictor autour de mes épaules et m'annonce joyeusement :

— Ne t'en fais pas, ma petite Chinoise préférée. Je vais m'occuper de toi. À partir d'aujourd'hui, tu fais partie de la gang. On ne va pas te laisser tomber !

La gang en question, c'est...

CLÉMENCE ELLE-MÊME : La sportive typique. Déjà l'année dernière, elle était la meilleure de toute l'équipe de cheerleading. C'est grâce à une figure qu'elle a inventée (le *spin back flip* tourniquet quelque chose) que l'école s'est qualifiée pour les régionaux. Résultat : elle est tout de suite devenue la fille la plus admirée de notre année.

THIERRY : Le fantôme. C'est le cousin de Clémence. S'il pouvait se creuser un trou et s'y terrer jusqu'à la fin de l'année, je suis sûre qu'il le ferait. Il déteste tant être le centre de l'attention qu'il fait tout pour passer inaperçu. Il paraît même qu'il a déjà perdu connaissance parce que ses parents lui avaient chanté «bonne fête» dans un restaurant. C'est à se demander comment Clémence fait pour tolérer sa présence.

ET FINALEMENT, IL Y A ALEX : L'ambigu. Je l'appelle comme ça parce qu'aujourd'hui encore, je ne sais toujours pas si Alex est une fille ou un garçon. Sans blague! Cheveux mi-longs qui lui cachent le visage, grands yeux noirs, sourcils broussailleux, t-shirts de Minecraft et de Lapins Crétins... bref, il (elle) ne nous donne pas beaucoup d'indices sur le genre de personne qu'il (elle) est! Et c'est assez délicat à demander, non? En tout cas, moi, je n'oserais jamais.

— Allez, viens! me dit Clémence, enthousiaste à l'idée de m'intégrer au groupe. On va rejoindre les autres!

Je comprends vite que rejoindre les autres, ça veut dire: ne rien faire du tout. On s'assoit sur la première marche de l'agora et on attend que le temps passe. Alex écoute de la musique et Thierry essaie de lire un roman fantastique pendant que Clémence le harcèle littéralement avec ses questions :

— Alors ? Qu'est-ce que tu en dis ? Ça te tente ? Tu vas t'inscrire ou non ? lui demande-t-elle, aussi excitée qu'une enfant de trois ans devant un sapin de Noël.

— Je t'ai déjà dit non, lui répond Thierry, sans lever les yeux de son livre. C'est pour les filles, le cheerleading.

— Pas du tout ! On a déjà deux gars dans l'équipe et il nous en manque un. Tu serais super bon !

— Oublie ça. Je n'ai pas envie de me blesser.

— Allez ! insiste Clémence, la mine boudeuse. Ce n'est pas si dangereux. L'important, c'est d'avoir la bonne technique.

Technique ou pas, Thierry doit savoir à quoi il s'expose. Je décide d'intervenir :

— J'ai vu un truc sur Internet, l'autre jour. Une fille a essayé une figure hyper difficile et le gars du dessous l'a échappée. En tombant sur lui, elle lui a fracturé le bassin et il est resté en chaise roulante pendant des semaines.

Clémence pose les poings sur les hanches et me fusille du regard. Quant à Thierry, il lève les yeux sur sa cousine, le visage plus blême qu'une pâte à crêpes.

— De quoi tu te mêles, Émy-Lee Samson ? se fâche Clémence.

— Thierry doit connaître les risques de ce sport dangereux, lui dis-je, le plus sérieusement du monde. Il pourrait se casser le cou ou se perforer la rate dès la première journée. Ce n'est pas rien !

— Tu ferais mieux de te taire au lieu de raconter n'importe quoi !

— Ce n'est pas n'importe quoi ! En plus, tu ne peux pas m'empêcher de m'exprimer. On est dans un pays libre, alors c'est mon droit inaliénable.

Je suis pathétique. Non seulement Clémence me prend pour une débile avec mes mots compliqués (c'est fou comme Nadeige me manque !), mais je viens de livrer la pire argumentation de tous les temps. Si j'étais avocate dans un procès pour meurtre, je me ferais démolir par la partie adverse et mon client finirait ses jours en prison. Pire : sur la chaise électrique.

La réalité, c'est que j'essaie d'être brave alors que je n'en mène pas large. Les disputes, ce n'est pas mon rayon. C'est Nad qui s'occupe des confrontations de ce genre, d'habitude. Mal à l'aise, je glisse les mains dans mes poches pour cacher mes tremblements et je laisse Clémence se défouler sur moi.

— Laisse-moi te dire une chose, mademoiselle «je-sais-tout», s'écrie-t-elle. Tu es là parce
que j'ai eu pitié de toi. C'est tout! Ne viens pas
faire ta loi ici.

— Écoute, je…

— Ou tu te mêles de ce qui te regarde, ou tu
t'en vas.

Elle me pointe un endroit non identifié
à l'autre bout de l'agora. Je suis figée. Figée et
bouche bée.

— Clémence a raison, intervient Alex en
retirant un écouteur de son oreille.

Il (elle) a des oreilles bioniques, ou quoi?
Comment a-t-il (elle) pu écouter notre conversation? Le son de sa musique est si fort que je l'entends jusqu'ici! Je suis trop curieuse:

— Tu sais lire sur les lèvres?

— Oui. Ma sœur est sourde.

— Pour vrai?

Alex lève les yeux au ciel.

— Bien sûr que non!

— En tout cas, tu t'arranges pour le devenir,
lui dis-je, le ton moralisateur. Continue comme
ça et tu n'entendras plus rien d'ici la fin de l'année.

— Tu sais que tu n'es pas ma mère?

Alex secoue la tête de découragement et replace l'écouteur dans son oreille, Thierry replonge les yeux dans son livre et Clémence m'observe de la tête aux pieds en marmonnant des paroles inintelligibles. On peut dire que mon entrée dans leur gang n'est pas très réussie. Clémence me prend finalement par le bras et m'éloigne des autres pour me dire un mot en privé.

— Écoute, tu n'es pas obligée d'être avec nous, si tu n'en as pas envie.

— Ce n'est pas ça, c'est juste que…

— Tu es insupportable, Émy-Lee. Je veux bien te laisser une chance, mais tu ne peux pas débarquer comme ça et faire comme si tu étais la fille la plus intelligente au monde. Si tu veux rester avec nous, garde tes conseils pour toi et tiens-toi tranquille. Sinon… Eh bien sinon, tu peux t'en aller.

Je crois qu'elle a raison. Je ferais peut-être mieux de les laisser entre eux. Je n'ai aucune envie de me faire de nouveaux amis, de toute façon. Ce que je veux, c'est Nadeige. Rien d'autre.

Je fais demi-tour en même temps que sonne la cloche et je me rends dans mon local d'anglais sans me retourner.

* * *

Le cour est looonnng! Mauve et Vert est aussi passionnante qu'un melon d'eau qui sèche au soleil. Elle passe l'heure entière à nous parler de son plan de cours, de la centaine de règles qui s'appliquent dans sa classe et de Monkey, son chat siamois, qui est l'être le plus extraaaordinaire de tous les temps. Sans blague! Comment peut-on être prof d'anglais et appeler son chat Monkey?

Pendant son interminable monologue, j'en profite pour réfléchir à Nad. Elle me manque terriblement! Il m'est physiquement, psychologiquement et intellectuellement impossible de passer à travers une année scolaire sans elle. J'en ai eu la preuve, tout à l'heure : je vais me faire assassiner d'ici le mois de juin si elle n'est pas là pour prendre ma défense. Je dois trouver une solution à mon problème.

{PLAN DE SURVIE}

Comment passer à travers
une année entière sans Nad?

I. LÂCHER L'ÉCOLE.
Prendre un médicament qui me
fera dormir toute une année.

2. ME TÉLÉPORTER DANS UN AUTRE UNIVERS.
Fabriquer une machine à voyager
dans le temps.

3. DEVENIR LA FILLE LA PLUS POPULAIRE DE L'ÉCOLE.
(Impossible... je suis la reine
incontestée de la discrétion.)

COMMENT SE PASSE
SA PREMIÈRE JOURNÉE?
C'est comment, le Collège
Saint-Vincent-des-Saints?
Tu parles d'un nom pour
une école, on dirait un
mauvais jeu de mots !

EST-ELLE AUSSI
DÉMUNIE SANS MOI
QUE JE LE SUIS
SANS ELLE?

QUOI FAIRE?
COMMENT?
QUAND?
QUI?

OK, je m'éparpille un peu, là...

Un coup de coude aboutit droit dans mes côtes et me fait échapper mon crayon. Je me retourne vers Maxime-Alexandre, assis juste à ma droite. Je l'ai magnifiquement ignoré quand il est venu s'asseoir à côté de moi, au début du cours. J'avais trop peur qu'il fasse allusion à notre rencontre désastreuse de l'autre jour.

— Aïe ! Tu m'as fait mal !

Sans un mot, Maax lève un doigt pour désigner l'avant de la classe. L'enseignante me regarde avec un air mécontent. Oups !

— J'ai l'impression que vous avez mieux à faire qu'écouter ce que j'ai à dire, mademoiselle… ?

— … Samson.

— Donc, si je comprends bien, mademoiselle Samson, vous connaissez si bien mon plan de cours que vous vous permettez de gribouiller dans votre cahier ?

Torbinouche ! Tout le monde me regarde. Je ne m'étais jamais fait reprendre par un prof auparavant et je dois dire que la sensation est très désagréable. J'ai chaud, tout à coup. Au moins, c'est le tout premier cours de l'année, alors je ne suis pas (encore) obligée de m'exprimer en anglais !

— Non, ce n'est pas…

— Peut-être aimeriez-vous nous partager vos réflexions ?

— Non.

— Pourquoi ne pas vous lever et lire à voix haute ce que vous avez pris plaisir à écrire pendant que je parlais toute seule ?

— Non.

— Non, quoi ?

Elle fait exprès pour m'humilier ou quoi ? Ce n'est pas l'armée, ici ! Je ne vais quand même pas la saluer et l'appeler « sergent » !

Bon, je dois me calmer. Si je ne veux pas avoir d'ennuis, je ferais mieux de me montrer polie et de m'excuser.

— Non, je n'ai pas envie de me lever. Je suis désolée, madame Mauve et Vert, je…

Oh non ! Je ne peux pas croire que j'ai dit ça ! *Mauve et Vert !*

Des éclats de rire résonnent aux quatre coins de la classe. Je ferme les yeux et je plaque ma main devant ma bouche pour m'empêcher de dire d'autres bêtises. Pour la politesse, on repassera !

Finalement, j'ouvre les yeux et j'affronte le regard de mon enseignante.

— Ce n'est pas ce que je voulais dire… Je m'excuse… Je ne voulais pas vous manquer de respect, madame Hébert, je…

Elle ne me laisse pas le temps de finir ma phrase. Déjà, elle pointe la porte avec l'index.

Sérieux ? Je dois aller dans le bureau de la directrice ?

Elle ne bronche pas d'un poil.

Les jambes molles, je ramasse mes affaires et je sors de la classe sans me retourner.

∗ ∗ ∗

Je frappe trois petits coups à la porte.

— Entrez !

J'ouvre et je m'assois en face de la femme la plus sévère au monde. Bon. J'avoue. Je ne connais pas toutes les femmes du monde et je ne connais pas personnellement la directrice non plus, mais elle dirige cette école, alors elle est forcément sévère.

— On peut dire que tu n'as pas perdu de temps, ma petite, dit-elle en levant les yeux sur moi.

Renvoyée de la classe. Premier jour. Première période. Elle a raison, je n'ai pas perdu de temps.

— Qu'est-ce qui s'est passé ?

— J'ai été distraite pendant le cours, lui dis-je, honteuse.

— Aucun enseignant ne m'envoie un élève parce qu'il a été distrait. Qu'est-ce qu'il y a d'autre ?

— J'ai peut-être aussi été un peu impolie.

— Un peu ? Envers qui ?

— Madame Hébert. Je l'ai appelée Mauve et Vert.

La directrice éclate de rire.

Là, je ne sais plus où me mettre. Est-ce que je dois rire avec elle ou pleurer de désespoir ? Je m'attendais à une foule de réactions de sa part, mais certainement pas à celle-là ! Il faut une bonne minute à la dame pour retrouver ses esprits et reprendre son souffle.

— C'est bon, dit-elle enfin. Tu peux t'en aller.

— Euh… je ne comprends pas. Vous n'allez pas me disputer ? Me donner une copie ? Me renvoyer ?

La directrice appuie les coudes sur son bureau et s'avance vers moi.

— Si ton but est de te faire renvoyer, tu vas devoir faire plus d'efforts, petite. Ta tentative était lamentable.

Je fronce les sourcils en me demandant pourquoi une fille comme moi chercherait à se faire renvoyer dès la première journée, et soudain, une idée me vient.

Non! Pas UNE SIMPLE idée! La MEILLEURE idée de tous les temps!

Es-tu là, Nad ? Je viens d'arriver.

ÇA FAIT AU MOINS CINQ MINUTES QUE J'ATTENDS DE TES NOUVELLES !

Ne me fais plus ce coup-là, toi !

Alors, est-ce que c'était aussi atroce que tu le croyais ?

Bof. Je suis encore en vie, c'est déjà ça. Ah oui. J'oubliais presque ! Je me suis fait sortir de mon cours d'anglais.

Minute… Je dois aller me pincer pour m'assurer que je ne rêve pas…

TOI, ÉMY-LEE SAMSON, TU T'ES FAIT SORTIR DE TON COURS ??? Où sont les caméras ? C'est sûrement une mauvaise blague…

Si j'avais voulu te conter une blague, j'aurais commencé par : «Une fois, c't'une fille…» ou «Connais-tu la différence entre…» Tu vois ?

C'est comme ça qu'on fait une blague.

Bon. Je peux venir chez toi ? Tu auras droit à tous les détails, promis.

Avant, j'aimerais juste être certaine que c'est bien à mon amie Émy-Lee que je parle. Parce qu'avec cette histoire de cours d'anglais, je commence à douter...

Ha ! Ha ! Très drôle !

Je veux aussi qu'on parle d'Alex.

Alex... l'ambigu ?

Oui. Je suis trop curieuse.

Il faut que je sache si c'est une fille ou un gars.

Depuis quand tu t'intéresses à lui ? Ne me dis pas que c'est ton genre ? Surtout que, tant que tu ne sais pas si c'est un gars ou une fille, tu fais mieux d'attendre avant de lui demander de devenir ton chum... ou ta blonde ! Hi, hi, hi ! Je blague !

De toute manière, ce n'est pas plutôt de Maxime-Alexandre que tu voudrais me parler ?

Maxime-Alexandre ? Hein ? Non ! Pourquoi ?

Zut, j'ai complètement oublié de te le dire. Tu te souviens, le jour où ma mère m'a tirée de force au magasin pour acheter mon uniforme ? Eh bien, je l'ai croisé en sortant de là. Je voulais me cacher la tête dans mon sac, tu imagines.

Mais je me suis vite rendu compte qu'il n'en avait rien à faire de moi.

Il voulait surtout avoir de tes nouvelles…

…

Hé ! Ne le prends pas comme ça ! Émy, je te taquine !

C'est à peine si on a parlé, lui et moi. Je me suis sauvée vers l'auto de ma mère pour ne pas avoir à lui expliquer pourquoi je venais de m'acheter un uniforme.

Tu es toujours là?

Oui, excuse-moi. Il t'a VRAIMENT demandé de mes nouvelles?

Pourquoi tu me poses cette question?
Tu n'aurais pas le *kick* sur lui, par hasard?

Pfff! Non!

Ou peut-être juste un peu...

Ben... Il est *cute*, non?

C'est pas mon genre, mais oui, il est mignon. J'imagine... Ma meilleure amie qui va peut-être avoir un chum... Ça me fait bizarre de penser ça. Faut vraiment qu'on se voie pour en jaser.

Justement, ma mère est prête.
J'arrive dans dix minutes!

OK, et je veux TOUT savoir sur ta première journée. Et sur Maax...

À : Emy-Lee_Samson@coolmail.com
De : Nad@coolmail.com
Objet : Demain, c'est la date de ma mort
(socialement parlant)

Rien de nouveau sous le soleil. Comme tu le sais, je suis affreuse avec mon uniforme. J'ai réussi à le cacher dans le fond de mon garde-robe pour ne pas le regarder, et très franchement, je crois que tu mérites mieux comme image. Me voir porter ces vêtements risquerait de te faire changer d'idée sur moi... C'est pourquoi il est hors de question que je t'envoie un *selfie* de mon look horrible, même si tu insistes !

Demain, je commence l'école. C'est total injuste que je doive y aller deux jours après toi, tu ne crois pas ? J'ai dû passer le début de la semaine à me morfondre, seule chez moi, alors qu'il n'y a plus un chat dans les parcs ou au centre d'achats. Trop rejet...

Chose certaine, le week-end prochain, on doit ABSOLUMENT se voir ! Ce sera peut-être notre seul moment ensemble de TOUTE la semaine. Oui, on va quand même habiter dans la même ville et j'imagine qu'il n'y a aucune raison qui m'empêcherait de me rendre chez toi après les cours, comme avant, mais on ne sait jamais... Il se pourrait que j'aie des tonnes et des tonnes de devoirs ! Que mes journées m'épuisent et que je ne pense qu'à me coucher, à mon retour. Que tu te fasses d'autres amies… Qu'on s'éloigne l'une de l'autre?

NON! Pas question! Il faudra qu'on pense à sceller notre pacte de nouveau. On pourrait faire ça samedi? Qu'est-ce que tu en dis?

Bon, je dois te laisser, ma mère vient de me dire de fermer l'ordinateur. Il faut que je sois en forme pour demain, mon premier jour de calvaire…

Nad
Ta *best* (à quelques heures de sa mort…)

À: Nad@coolmail.com
De: Emy-Lee_Samson@coolmail.com
Objet: Montre-leur qui tu es!

Désolée si je ne t'ai pas répondu, hier soir. Rentrée scolaire = retour aux horaires hyper poches. Pas d'ordi après huit heures et au lit à neuf heures max. C'est à croire que j'ai encore huit ans!

Je n'ai pas beaucoup de temps pour t'écrire parce que je dois me préparer pour l'école, mais je voulais que tu saches que je suis avec toi à 200 %.

Ce n'est pas facile, arriver dans une nouvelle école (en tout cas, dans les films, ça n'a jamais l'air ben ben drôle), mais toi, tu ne te laisseras pas faire, je le sais. S'il y en a un qui a le malheur de t'insulter, je ne donne pas cher de sa vie! Hi, hi!

Ça me va pour samedi. Je dois garder mon frère, mais tu n'auras qu'à venir chez moi. On pourra faire tes tonnes et tes tonnes de devoirs (Tu n'exagères pas un peu, là? C'est le début de l'année, quand même!) et s'occuper de notre fameux pacte.

Ne t'inquiète pas. Quoi qu'il arrive, on sera toujours les meilleures amies du monde!

Bonne rentrée!

Sois sage. Ne te bats pas, ne mords pas et ne crache pas non plus, ce n'est pas très poli (ni très hygiénique!). ☺

Émy-Lee
(Qui n'a pas envie de t'emmener à l'urgence pour un vaccin contre la rage)

4

NADEIGE

Je mets le pied dans la cour du collège exactement dans le même état d'esprit que la dernière fois où je suis venue ici. C'est-à-dire que je suis en colère. Et horrible. (Mais pour être franche, j'ai été de cette humeur pas mal tout l'été, alors ça ne me change pas tellement de mes habitudes.) Que je n'en voie pas un essayer de faire ami-amie, ou je le vire de bord en moins de deux !

En plus, je ne sais pas QUI s'est occupé de faire le calendrier scolaire de ma nouvelle école, mais on commence DEUX jours après les autres écoles ! DEUX JOURS !! Pas que ça me dérange tellement de débuter après les autres, mais si mes calculs sont exacts, ça veut aussi dire qu'on va finir DEUX jours après tout le monde ! Au cas où je ne serais pas claire : C'EST ÉNORME !!! En deux jours, je pourrais avoir des tonnes de devoirs, oublier d'en faire au moins trois, avoir une copie pour manquement disciplinaire et finir le tout en retenue à la fin de la dernière journée ! Défaitiste, moi ? Pas du tout, je suis réaliste !

Bref… Émy-Lee a commencé avant-hier alors que, moi, je me tape une rentrée un mercredi. Qu'est-ce que c'est que ça, d'abord, une rentrée un mercredi?! C'est une blague ou quoi? Absolument pas! Au début, c'est ce que j'ai cru et je me suis mise à rire devant mes parents quand ils m'ont annoncé que je commençais bel et bien aujourd'hui. Comme ils n'ont pas réagi, ça m'a permis de comprendre qu'ils ne rigolaient pas du tout. Ça, et le fait que ma mère m'attendait dans la voiture pour aller me reconduire ce matin…

Donc, afin de me préparer à cette grande rentrée, je n'ai eu que dix minutes top chrono pour m'habiller, manger et me peigner. En plus, mes parents sont croyants et je suis OBLI-GÉE de faire une petite prière avant chaque repas. (MÊME AU DÉJEUNER!!!) Mais en dix minutes, c'est physiquement impossible. J'ai dû m'abstenir de faire l'une de ces quatre choses. Et comme ma mère m'a interdit d'aller à l'école en pyjama (quand j'étais en maternelle, je pensais que c'était normal!), c'est la coiffure qui en a pris pour son rhume. Mais quoi?! Moi, Nadeige Leblanc, me passer de déjeuner? Jamais de la vie! Plutôt mourir de faim! Quoique, cet exemple ne fonctionne pas…

Peu importe, je fais face à cet énorme collège, les cheveux hirsutes et le ventre plein. Et je n'ai aucune envie de me joindre à cette foule composée de petits pingouins portant tous le même linge. Il y a à peine deux secondes, ma mère soupirait encore à côté de moi. Je ne voulais PAS sortir de la voiture. Elle a fini par ouvrir sa propre portière, faire le tour de l'auto et venir m'extirper de là quasiment en me tirant par les cheveux. (De toute manière, ils sont déjà affreux, rien ne pourra donc empirer mon look.)

OK, elle ne m'a pas tirée par les cheveux, mais j'ai LU dans son regard que si je ne sortais pas de là tout de suite, elle n'hésiterait pas à le faire. Alors j'ai préféré lui éviter la honte d'avoir une fille qui fait une crise et sortir la tête haute. Je ne lui ai même pas dit au revoir et je me suis dirigée vers le bâtiment. Quand j'ai entendu les pneus crisser dans mon dos, j'ai quand même eu un petit moment d'angoisse. Vraiment? Ma mère allait m'abandonner ici? Pour vrai?

Il semblerait bien que oui, parce qu'elle devait partir pour le travail. Sa voiture a disparu au coin de la rue (oui, je l'avoue, je me suis retournée pour la regarder partir...) et un grand vide s'est créé en moi.

Je m'ennuie de ma meilleure amie. Même ses célèbres « torbinouche » me manquent... Sans elle, je ne sais pas comment je vais faire. Je joue à celle qui ne se laisse pas impressionner, alors qu'au fond je me sens terriblement vulnérable. Je cache mes mains dans les poches de mon cardigan pour qu'on ne les voie pas trembler et j'avance vers les portes principales. En chemin, mon regard dévie vers le terrain de basketball.

Et là, je l'aperçois de nouveau. Ce garçon qui m'a empêchée de tomber lors de ma visite guidée. Il est avec une dizaine d'autres jeunes. Ils ont l'air de s'amuser. D'ailleurs, ils ont commencé une partie, car celui que je reconnais attrape le ballon et se place derrière la ligne de départ. Puis, il s'élance en dribblant, court vers le filet, lève le menton, croise mon regard et... s'enfarge dans ses pieds et s'étale de tout son long.

Quelle humiliation ! Tous ceux qui l'entourent se mettent à rire. Quelqu'un l'aide à se relever. Moi, je dois être en train de sourire (bien malgré moi !), car il me fait un clin d'œil, tandis qu'il se frotte les genoux pour en enlever les petites roches. J'arrête aussitôt de le regarder et me concentre sur ce qui m'attend. Pas question qu'il remarque que je l'ai remarqué. Eh oui, je dis n'importe quoi quand je suis gênée !

De toute manière, j'ai bien fait de regarder devant moi, car je passe près de rentrer dans une fille à demi penchée, qui est en train de fouiller dans son sac à dos. Je fais un pas de côté et me mets à ronchonner. Celle qui me bloque le chemin se redresse et me dévisage. Elle porte tellement de maquillage que ça fait peur. Mascara, fond de teint, rouge à lèvres, ombre à paupières, alouette! Pour arriver à un tel résultat, ça me prendrait des heures et des heures de travail!

Elle fronce ses sourcils parfaitement épilés, comme si elle essayait de me replacer. Je lui évite cet effort mental et lui lance:

— Arrête de chercher, tu ne me connais pas. Je suis nouvelle.

— Je sais, je me demandais juste… depuis quand c'est revenu à la mode, la chevelure dépeignée? Sérieux, on dirait que tu sors de ton lit…, réplique-t-elle avec dédain.

— En fait, c'est exactement ça. Ça fait dix minutes que je suis debout, alors ne me fais pas suer. Je suis toujours de mauvaise humeur le matin.

Elle porte la main à sa gorge, comme si je venais de lui donner un coup. Choquée, elle s'écrie:

— Je pense que tu ne sais pas à qui tu t'adresses, toi. Mais puisque tu viens d'arriver à mon école, je vais quand même prendre la peine de t'informer...

Notons ici l'emploi du déterminant possessif, dans la phrase. Pour ceux qui sont nuls en français : elle vient de dire « MON » école ! Comme si c'était la sienne. Grand bien lui fasse, je la lui laisse. Moi, tout ce que je souhaite, c'est m'en aller d'ici vite fait. Mais ça, mes parents ne me le permettront pas avant quatre ans ! Soit à la fin de mon secondaire...

Je prends tout de même le temps d'écouter son petit discours. À la fois parce qu'elle y met tout son cœur, mais aussi (et surtout) parce qu'elle me bloque encore le chemin.

— Donc, comme je le disais : ici, c'est chez moi.

— Tu habites dans l'école ? dis-je innocemment.

— Non, ce n'est pas ce que je voulais dire...

— Alors tu vis dehors ? Dans la rue ? T'es un peu comme une clocharde, donc... Pauvre toi, ce n'est pas facile d'être une sans-abri. J'ai beaucoup de peine pour toi et je comprends ta gêne. Mais là, j'aimerais que tu te tasses pour que je puisse me rendre juste là, dans TON école. C'est bon ?

Elle ouvre la bouche et la referme. Et elle recommence. Trois fois de suite. Elle me fait penser à un poisson rouge. Mais moi, je suis un chat et les poissons, je les bouffe tout cru. Cette fille ne m'impressionne pas. Elle parvient à reprendre contenance au bout de quelques secondes et à répondre :

— À ta place, je ferais attention à ce que je dis et à qui je le dis. Je ne suis pas n'importe qui. Si tu veux réussir à te faire une place, ici, il va falloir que tu sois un peu plus respectueuse. Sinon, tu vas trouver l'année très longue, c'est moi qui te le dis !

— Là-dessus, tu n'as pas tort…

— Et je…

Avant qu'elle ne puisse terminer sa phrase, la cloche sonne dans la cour et tous les élèves se bousculent pour entrer dans le bâtiment. Je ne peux faire autrement que de suivre la cohue et de reporter à plus tard cette charmante conversation. Mais je sens que, pour toutes les deux, c'est une longue histoire qui vient de débuter. Ça tombe bien, car j'aurai besoin de quelqu'un sur qui me défouler dans les prochaines semaines…

Bla bla bla. Discours passionnant du directeur. Je somnole sur ma chaise de bois, dans l'amphithéâtre. Les profs nous ont dirigés vers ce local pour que nous puissions entendre le monologue soporifique (merci, Émy-Lee) de monsieur Lenoir, alias le directeur du premier cycle.

Je menace de m'endormir à tout instant. C'est quasiment un défi que je me lance. Si je réussis à sombrer dans le sommeil, je mérite une crème glacée à la barbe à papa à mon retour à la maison. Oui, oui, une crème glacée JUSTE avant le souper ! Ces petites maigrichonnes assises à l'avant seraient en plein délire si je leur disais ce que je prévois ingurgiter en fin de journée...

Mais de toute manière, avec tout le sport que je fais, je n'engraisse pas. Ou si peu. Bon, c'est faux, j'ai un petit ventre mou, comme tout le monde, mais la différence, c'est que moi, je m'en fiche. Tant que je réussis à attacher mon dernier bouton de pantalon et que je n'ai pas besoin de rouler pour me rendre à l'école, ça me va !

Ça y est, je suis à deux doigts de passer dans le monde des songes quand le directeur termine son discours et que les jeunes autour de moi applaudissent à tout rompre. Euh... sérieux ? Vous êtes vraiment un public qui n'attend pas grand-chose de la vie, si vous applaudissez pour ÇA ! Je lève les yeux au ciel et lorsque je les redescends, je croise (pour la seconde fois aujourd'hui) le regard du garçon joueur de basketball. Mais cette fois, il ne semble pas de très bonne humeur. Qu'est-ce que je lui ai fait, pour qu'il me lance des fléchettes avec les yeux, celui-là? Pas que ça m'intéresse vraiment, de toute manière, mais… j'aime savoir pourquoi on m'en veut.

D'ailleurs, c'est l'occasion parfaite pour aller le lui demander, car juste avant que le directeur ne descende de la scène, il nous explique que nous devons nous inscrire à au moins une activité parascolaire durant la première étape. Les tables pour les inscriptions sont installées dans le corridor, à la sortie de l'amphithéâtre, et nous devons écrire notre nom sur la feuille de notre choix. Je saute sur mes pieds (fini, le temps de la sieste) et j'essaie d'aller rejoindre le garçon et sa mauvaise humeur.

Sans grande difficulté, je le retrouve en ligne devant la première table, dans le couloir. Sûrement celle pour l'activité de basketball. Je me plante derrière lui et me racle la gorge, pour qu'il se retourne. Lorsqu'il le fait, il hausse les sourcils, surpris, et demande:

— Oh, euh, salut. Tu t'inscris à cette activité, toi aussi? C'est drôle, je ne pensais pas que c'était ton genre...

J'ignore son commentaire total méprisant et sexiste (non mais, c'est vrai, les filles jouent aussi bien que les gars au basket, franchement!) et fidèle à moi-même, je le coupe pour aller droit au but :

— Je voulais savoir pourquoi tu étais fâché contre moi.

— Pourquoi tu penses que je suis fâché?

— À la fin du discours «plate» de Lenoir, tu n'avais pas l'air content. Je ne suis pas aveugle, tu sais.

Il fait la moue et plisse les yeux, avant de me retourner la question :

— Et toi, d'abord, pourquoi tu es bête avec les gens que tu croises pour la première fois? Même quand ils t'empêchent de tomber à la renverse?

— Si tu fais référence à la fois où tu m'as ouvert la porte en pleine face, je ne pense pas que ça mérite vraiment une réponse.

— Wow! T'es toujours aussi directe?

— Je ne crois pas que ce soit un défaut.

— Non, c'est vrai. Mais tu es beaucoup plus jolie quand tu souris et qu'on voit ta fossette...

Là, il vient de me déstabiliser. Par automatisme, je porte la main sur ma joue droite, comme pour me cacher. Personne ne me fait sourire. Personne ne voit ma fossette. À part ma meilleure amie. Qui me manque cruellement. Une voix nous interrompt et demande si nous voulons toujours nous inscrire. Pour bien montrer à cet imbécile que je peux jouer au basket aussi bien qu'un garçon, je le dépasse, saisis le crayon et appose mon nom sur la feuille blanche. Puis, je me redresse et plante les yeux dans les siens, pour lui signifier ce que je pense de ses opinions arrêtées.

Il attrape le crayon que je tiens toujours dans une main, se penche sur la liste à son tour et y ajoute son propre nom. Lorsqu'il se relève, il me souffle :

— Content de savoir que tu vas faire partie de l'équipe de scrabble, Nadeige... Ah, et moi, c'est Sasha. Sasha Lenoir...

Et il tourne les talons, pour se fondre dans la masse qui circule dans le corridor. Je dois être devenue aussi blanche que mon nom. En avalant difficilement ma salive, je jette un coup d'œil rapide à la liste. Oui, son nom est écrit juste en dessous du mien : Sasha Lenoir. Le fils du directeur...

Au loin, j'entends sa dernière remarque :

— Je ne croyais pas que tu étais une cruciverbiste !

Non mais, c'est quoi ce mot, encore ?! Je vais devoir le demander à Émy-Lee. Et pire que tout, moi qui ai de la difficulté à rester concentrée plus de dix minutes d'affilée, je vais devoir jouer au scrabble !

C'est vraiment la pire année de ma vie !!!

À : Emy-Lee_Samson@coolmail.com
De : Nad@coolmail.com
Objet : On part pour le Sud ?

Pire journée de ma triste vie. Je pense sérieusement à piller mon compte en banque et à me payer un billet d'avion pour le Sud. Évidemment, je te cacherais dans mes bagages... Tu es si petite, tu y rentrerais sans mal. Bon, il reste encore la question des vaccins avant notre départ, mais, prévoyante comme tu es, tu dois déjà tous les avoir reçus, non ?

OK, je sais bien que ça n'a aucun sens... À la fois parce que mon compte en banque est vide ET parce que nos parents ne nous laisseraient jamais nous enfuir de la sorte. En plus, de quoi on vivrait, hein ? D'un autre côté, ça ne pourrait être pire que ce que je m'apprête à subir dans les prochaines semaines...

Aujourd'hui, j'ai été obligée de m'inscrire à une activité parascolaire. OUI, OBLIGÉE ! Je pensais m'être mise dans la file pour l'équipe de basket (une erreur total idiote impliquant un gars un peu trop mignon et le directeur de l'école, mais j'y reviendrai...). Sauf qu'en fait, devine un peu à quoi je me suis inscrite... ? Au SCRABBLE ! Moi ! Nadeige Leblanc, je vais devoir jouer à ce jeu ridicule que je ne comprends même pas ! Comment je vais faire, tu peux m'expliquer ? Je suis nulle en français, en plus !

Ça, c'est sans oublier que je me suis fait au moins DEUX ennemis lors de ma première journée de classe! Il y a d'abord eu cette greluche (typique fille *hot* qui se croit tout permis et qui essaie de m'impressionner en me regardant de haut parce que je ne porte pas de maquillage et que je ne porte pas vraiment attention à ma chevelure...). Mais cette fille ne me dérange pas tellement au fond, car je sais très bien comment gérer les nunuches.

J'en viens donc à mon autre ennemi... le fils du directeur. Lui, c'est un fichu de beau problème. Beau, parce que justement, il l'est. Et je ne dis pas ça souvent, tu me connais. Non, il ne me plaît pas du tout. Il est juste beau. Point. Sérieux. Je ne veux pas entendre ce que tu en penses. Et problème, parce qu'en l'espace de quelques minutes à peine, j'ai réussi à insulter son père ET lui...

Faudrait que tu me prêtes ton livre *Comment se faire des amis pour les nuls*, je pense. J'en aurais bien plus besoin que toi, en fin de compte...

Nad
Ta *best* (Si tu es libre, appelle-moi après le souper, faut que je parle à quelqu'un, sinon je vais exploser!)

À : Nad@coolmail.com
De : Emy-Lee_Samson@coolmail.com
Objet : Tu veux ma mort ou quoi ?

Ne me fais plus jamais des affaires de même ! J'ai failli m'étouffer avec mon muffin quand j'ai lu ton message (ne le dis pas à ma mère, j'aurais droit à une scène pour avoir mangé quelque chose d'aussi consistant avant le souper... et dans ma chambre, en plus !). N'empêche que c'est hyper dangereux, des particules de muffin ! Tu sais ce que ça peut faire, si ça s'infiltre dans mes poumons ? Ils peuvent se perforer ! SE PERFORER ! Tu imagines ?

Bon, je m'emballe un peu, désolée. J'ai juste FAILLI m'étouffer... En fait, j'ai craché ma bouchée sur l'écran de mon ordi (c'est dégueu, mais pas vraiment dangereux).

1- Le Sud ? J'embarque quand tu veux.

2- Les ennemis ? Je ne donne pas cher de leur peau.

3- Le scrabble ? Trop drôle ! Excuse-moi, mais j'ai beaucoup de mal à ne pas rire quand je t'imagine assise dans un local rempli de jeux de scrabble. C'est un peu comme si, MOI, je me retrouvais dans un ring de boxe. Avoue que tu te tordrais de rire (et moi de douleur, mais ça, c'est une autre histoire).

4- C'est là que j'ai failli m'étouffer! UN BEAU GARS? Tu as bien parlé d'UN BEAU GARS? Toi? Nadeige-la-fille-la-plus-difficile-au-monde-qui-ne-trouve-jamais-personne-d'intéressant? Je n'arrive pas à y croire! Qu'est-ce qu'il a de si particulier pour avoir retenu ton attention?

Il est exotique? Il parle huit langues? Il a un œil dans le front? Il joue du ukulélé? (Oh! Ça, c'est un mot hyper payant au scrabble!)

Ah! Et puis je suis trop impatiente! Je t'appelle tout de suite!

Émy-Lee
(Qui se retient pour ne pas perdre connaissance sur le tapis de sa chambre)

5

ÉMY-LEE

L'école est commencée depuis seulement quatre jours, mais j'ai l'impression que ça fait des mois! La poly sans Nad, c'est comme une toast aux cretons sans Cheez Whiz… C'est plate et ça pue!

Le point positif dans tout ça (oui, oui, j'ai réussi à en trouver UN), c'est que mon plan prend forme. J'ai réussi à me remplir la tête de stratégies. Certaines sont plus réalistes (et moins dangereuses) que d'autres, mais, chose certaine, ça ne peut pas rater! Si Nad ne peut pas venir jusqu'à moi, alors j'irai jusqu'à elle. J'en fais ma priorité! En plus, elle ne se doute de rien. Je suis aussi muette qu'une taupe! Ou qu'une carpe… Qu'une tombe… C'est quoi, l'expression, déjà?

En tout cas! Ce n'est pas ça l'important.

L'important, c'est CECI:

NOM DE MISSION:

▷ DIRECTION COLLÈGE ◁

La mise en place des stratégies est en vigueur à partir de <u>maintenant</u>.

OBJECTIF: Convaincre l'autorité parentale (mes parents) que l'école privée assurera un meilleur avenir à leur héritière (moi).

DURÉE DE LA MISSION: Tant et aussi longtemps que l'objectif ne sera pas atteint. Je n'ai pas l'intention d'abdiquer.

DOMMAGES COLLATÉRAUX: Difficiles à déterminer pour l'instant, mais le scénario le plus extrême implique une suspension ou un renvoi de la polyvalente.

NOTES IMPORTANTES: Cette mission est risquée mais possible. Aucun abandon ne sera permis. Je dois garder le secret absolu en tout temps afin de conserver l'effet de surprise. Nadeige n'en sera que plus heureuse.

Je suis géniale! Si mon nez était plus gros, je suis sûre que les gens me confondraient avec Tom Cruise dans *Mission impossible*.

Bon, je me lance. Je commence avec la première étape, qui est aussi la plus facile: démontrer à mes parents que le collège représente un choix d'école beaucoup plus judicieux pour une ado telle que moi. Quoi de mieux qu'un petit déjeuner en famille pour présenter mes arguments?

Au bout de quelques minutes, je comprends cependant que mon analyse de la situation ne fait pas l'unanimité. Je me doutais que ça pouvait arriver, alors je ne capitule pas pour autant et je déclare à l'intention de mes parents:

— C'est une question de santé et d'équilibre mental, vous savez? Vous allez vous en vouloir si je dois me faire interner pour dépression nerveuse.

— Voyons, Émy-Lee! rétorque maman, tout en coupant des morceaux de pomme pour mon petit frère. On ne va pas te changer d'école uniquement pour te permettre de suivre ta meilleure amie.

— Pourquoi pas?

— Parce que c'est un caprice, intervient mon père. Je suis certain que ça va te faire du bien de t'éloigner un peu de Nadeige. Vous êtes toujours ensemble, toutes les deux.

— Me faire du bien? C'est une blague? J'ai vécu la pire semaine de toute ma vie!

Papa lève les yeux au ciel et se sert une autre tasse de café. Il ne semble pas me prendre très au sérieux.

— Je croyais que tu t'étais fait de nouveaux amis, me rappelle maman.

De nouveaux amis… Je repense à Clémence, Thierry et Alex, le jour de la rentrée. Ils m'ont bombardée de questions quand ils m'ont vue sortir du local de retenue.

— Qu'est-ce que tu faisais au B-120?

— Tu t'es fait sortir de ton cours?

— Pour vrai?

— Qu'est-ce que tu as fait?

J'ai eu envie d'inventer une histoire pas possible pour leur en mettre plein la vue, mais comme je l'ai déjà dit, les mensonges et moi, on ne fait pas bon ménage. Je leur ai donc raconté la vérité et ils ont été super impressionnés. Ils m'ont qualifiée de «cool», de «culottée» et ils ont même dit que j'étais la fille la plus courageuse de l'école. Finalement, Clémence m'a proposé de m'asseoir avec eux à l'heure du dîner. Voilà comment s'est conclue ma rentrée. Pas de quoi se rouler par terre.

— Personne ne remplacera jamais Nad, vous le savez.

— On ne te demande pas de la remplacer, m'explique ma mère. On dit juste que tu peux très bien passer du temps avec tes nouveaux amis pendant la semaine et voir Nadeige la fin de semaine.

Je pince les lèvres.

— Vous ne comprenez pas. Ma vie n'est rien, sans elle. Je m'ennuie, c'est fou ! Je me sens incomplète, comme s'il me manquait une partie de moi. Dites oui ! S'il vous plaît ! Inscrivez-moi au collège !

Bien installé dans son fauteuil roulant, mon petit frère me regarde de ses yeux brillants.

— Si Émy-Lee va au collège, moi aussi, je veux y aller, articule-t-il lentement.

Il est chou, mon petit Liam adoré.

Je tire une chaise et je m'empare de sa cuil-lère pour l'aider à manger. Il ouvre gentiment la bouche et avale une grosse bouchée de céréales. Je me trouve égoïste, tout à coup. Mon frère ne pourra jamais fréquenter une école régulière et moi, je fais une crise parce que je suis séparée de ma meilleure amie.

Exact ! C'est Liam qui a la paralysie cérébrale, pas moi. Je ne dois pas me laisser distraire et encore moins me laisser attendrir. Au contraire... Je devrais m'en servir pour enrichir mon argumentation. Oh oui ! C'est bon, ça ! C'est parti !

— Il y a des accès pour les fauteuils roulants, au Collège Saint-Vincent-des-Saints, vous savez, dis-je innocemment.

Maman relève un sourcil.

— Et alors ? me demande-t-elle, intriguée.

— Liam pourrait venir me voir, lors des spectacles.

— Quels spectacles ?

— Ben, tu sais, les concerts de musique.

— D'accord, mais tu ne joues d'aucun instrument.

C'est vrai. Et je n'ai pas l'intention d'apprendre à jouer de quoi que ce soit non plus. J'insiste :

— Les pièces de théâtre, alors ?

— Tu détestes te retrouver sur scène.

Torbinouche ! Elle a vraiment réponse à tout !

— Ça coûte une petite fortune, cette école, ajoute mon père. Tout ça pour quoi ? Un accès pour handicapés et un uniforme que tu détesteras dès les premiers jours ?

— Ce n'est pas vrai ! Il est super beau, l'uniforme !

Tellement pas ! Pauvre Nad ! Elle a fini par me montrer ses nouveaux vêtements, l'autre jour. Elle avait raison de dire qu'ils sont horribles ! Je la plains d'avoir à porter ce truc ! Mais ça, mes parents n'ont pas besoin de le savoir.

— C'est vrai que ça coûte un peu cher, mais vous avez les moyens, non ? Dites-vous que je pourrais profiter de leurs extraordinaires infrastructures sportives !

Mes parents s'échangent un regard complice qui en dit long sur la médiocrité de mes aptitudes physiques. Je dois persévérer.

— La piscine est géniale. Elle a été complètement rénovée, c'est ultra moderne !

— Tu veux faire de la natation ? s'étonne maman.

— Euh... Non.

— De la nage synchronisée ? Du sauvetage sportif ? Du triathlon ?

Je secoue la tête. Je déteste me baigner, elle le sait bien. Chaque fois que je me retrouve dans l'eau, j'ai peur que le chlore de la piscine s'infiltre dans mes veines et m'empoisonne de l'intérieur.

J'ai lu quelque part qu'une intoxication au chlore pouvait entraîner une irritation des voies respiratoires. Ce n'est pas rien !

— OK, la piscine ne m'intéresse pas vraiment, dois-je avouer. Mais il y a un super terrain de football synthétique, une patinoire extérieure, et même un mur d'escalade.

Cette fois, mon père commence à perdre patience.

— Arrête un peu, veux-tu ? Tu détestes faire du sport ! Il faudrait qu'on te torde un bras pour que tu enfiles une paire d'espadrilles en dehors de tes cours d'éducation physique.

— Ce n'est pas vrai ! J'ai changé ! Ils le disent partout : le sport, c'est la santé. Même Nad essaie de me convertir depuis des années. J'ai le goût de me mettre en forme.

— Ah oui ? Depuis quand ? s'étonne-t-il.

— Depuis la semaine dernière.

— Tu te moques de moi ?

— Non, pas du tout !

Je dois faire mieux que ça. Qu'est-ce que je peux bien inventer pour les convaincre ? Je prends une grande gorgée de jus d'orange et je lance une méga bombe :

— Je me suis inscrite au club d'athlétisme.

— Quoi ?

Oh! Je viens de créer tout un émoi dans la salle à manger. Mon père renverse sa tasse de café (gros dégât sur la table qu'il ne se donne même pas la peine de ramasser), mon frère recrache le morceau de pomme qui était dans sa bouche et ma mère…

Ma mère me regarde sans bouger, les yeux remplis d'humidité.

— Au club d'athlétisme? Pour vrai?

— Exact.

— Oh! Ma cocotte!

Elle se lève et me serre fort dans ses bras. Qu'est-ce qui lui prend?

— Si tu savais à quel point tu me fais plaisir!

— Non, je ne sais pas, justement…

Maman me relâche et essuie une larme qui perle au coin de son œil, sans jamais cesser de m'admirer. Finalement, elle m'explique qu'elle a aussi fait de l'athlétisme quand elle était au secondaire et que ce sport lui avait apporté discipline, détermination, persévérance et dépassement de soi. Bref, un tas de mots qui n'auraient jamais dû être inventés.

— Tu tiens ça de moi, c'est sûr! conclue-t-elle, émotive. On a ça dans le sang, toutes les deux. On est faites pour ce sport!

— Comment tu le sais ? Tu as fait analyser mon sang quand tu es venue me chercher en Chine ?

Mes parents n'aiment pas trop quand je fais ce genre de blagues sur mon adoption, mais la réalité, c'est que je l'accepte plutôt bien. Mon frère et moi n'aurions pas la même vie si on était restés en Chine, alors on leur en est très reconnaissants.

— Arrête, Émy-Lee, marmonne-t-elle, sans me quitter des yeux. Tu sais très bien ce que je veux dire.

— Oui, bien sûr, désolée.

Elle me sourit, signe qu'elle n'est pas fâchée, et m'interroge :

— Bon. Dis-moi tout ! Quand est-ce que tes entraînements commencent ?

— Bientôt. Pourquoi ?

— Parce qu'on va devoir aller magasiner un peu, toutes les deux. Tu es loin d'être équipée pour fouler la piste.

— Ce n'est pas nécessaire, maman. Je peux très bien porter mes espadrilles d'éducation physique pour commencer.

— Tu en es sûre ? Et pour les vêtements ? Tu ne vas quand même pas te présenter avec « ça » sur le dos.

Elle pointe ma jupe et ma camisole en souriant.

— J'ai tout ce qu'il me faut, je te le promets. Mais merci quand même.

En temps normal, j'aurais sauté sur l'occasion de courir les magasins, mais il y a des limites que je refuse de franchir. Espadrilles neuves ou pas, je n'ai pas l'intention de me présenter aux entraînements, alors inutile de faire dépenser de l'argent à mes parents pour rien. Je vais me contenter de me montrer discrète et d'ici quelques jours, maman aura tout oublié de ma nouvelle « passion ».

— J'ai envie de t'encourager, me dit-elle au moment où je m'apprête à m'éclipser dans ma chambre. Qu'est-ce que tu dirais si on allait courir ensemble, le soir, après le souper ?

Euh ! Non ! Dites-moi que c'est une blague !

— Je n'ai pas encore eu un seul entraînement, maman. Laisse-moi le temps d'apprendre.

— On va y aller en douceur, ne t'en fais pas. Deux ou trois kilomètres, tout au plus. On pourra augmenter la distance quand tu te sentiras plus à l'aise.

Deux kilomètres ? Elle veut me tuer ou quoi ? Je ne suis même pas sûre de tenir cinq cents mètres! Je dois trouver une façon de me sortir de ce cauchemar.

— Tu sais, le club s'entraîne trois fois par semaine, lui dis-je, sans trop savoir si c'est vrai ou pas. Je crois que c'est suffisant pour commencer. Si j'en fais trop, j'ai peur de m'épuiser et de moins bien performer à l'école.

Touché! Les performances scolaires, c'est toujours un point gagnant.

— Oui, tu as sûrement raison, acquiesce ma mère. Je ne voudrais pas nuire à tes études. Fais-moi savoir quels soirs tu t'entraînes et je vais finir un peu plus tôt pour venir te voir courir.

— Quoi?

Je me frotte l'oreille, convaincue d'avoir mal entendu.

— Je veux être là pour toi, m'assure-t-elle.

— Non, maman! De quoi je vais avoir l'air?

— J'agirai en tant que simple spectatrice, ne t'inquiète pas, précise-t-elle en levant les mains pour me calmer.

— Et si je refuse?

— Ce n'est pas négociable. Bon, dépêche-toi, tu vas être en retard à l'école.

À voir son air, je sais qu'il ne me sert à rien de discuter. Le sujet est clos.

Bravo, championne!

RÉSUMÉ DE LA DISCUSSION :

Je n'ai pas réussi à convaincre mes parents
de m'inscrire au collège. (GRRR!)
Je me retrouve avec un problème encore
plus important à gérer. (RE-GRRR!)

Mon plan de mission n'est pas très efficace pour l'instant. Tom Cruise me bat à plate couture !

Tant pis pour moi. J'ai voulu jouer à ce petit jeu-là ? J'ai perdu.

Je vais devoir me présenter au premier entraînement, que je le veuille ou non.

À: Nad@coolmail.com
De: Emy-Lee_Samson@coolmail.com
Objet: Totale platitude

Salut, toi!

Yessss! C'est vendredi!

J'ai survécu à ma première semaine d'école sans toi. En résumé, c'était... c'était monotone. Ennuyeux. Assommant. Surtout aujourd'hui.

Clémence a passé la journée à pleurer de joie parce qu'elle a été nommée capitaine de l'équipe de cheerleading. On était dans l'agora quand elle a appris la nouvelle, alors toute l'école a eu droit à sa face de fille surprise qui n'est pas vraiment surprise, au discours de remerciement et à sa stratégie de mise en place d'un nouveau code d'honneur à respecter. Bref, rien d'intéressant.

Pour me distraire, j'ai décidé de suivre Alex dans le vestiaire, avant son cours d'édu. (On ne peut quand même pas passer encore une année à l'appeler «l'ambigu»!) Imagine-toi donc qu'il (ou elle) est dispensé (e) de cours! Problème de dos, apparemment! Comment je vais faire pour le (la) percer à jour? Ah! Et tu crois que le fait de porter un t-shirt avec un dessin de licorne, ça fait plus fille, ou garçon? Oui, oui, tu as bien lu! Une licorne

104

toute noire qui fait un pet en forme d'arc-en-ciel!
N'importe quoi!

Tiens, voici quelques potins en rafales sur ton ancienne école : Camille a quitté la radio étudiante, les frites ont été retirées du menu à la cafétéria, la ligue d'impro a un nouveau coach, je me suis inscrite en athlétisme, le stationnement a été refait à neuf pendant l'été et madame Isabelle a eu son bébé juste avant la rentrée.

Sinon, quoi de neuf par chez vous ? Comment s'est passée ta journée ?

Je ne peux pas venir chez toi, ce soir. Mon père travaille tard et ma mère va en physio avec Liam.

Écris-moi!

Émy-Lee
(Qui est trop contente que ce soit ENFIN la fin de semaine)

À : Emy-Lee_Samson@coolmail.com
De : Nad@coolmail.com
Objet : RE : Totale platitude

Ce qui retient mon attention quand je lis ton courriel : «Bla bla bla... Alex chandail de licorne (Euh... ouache !), bla bla bla, frites retirées du menu (OMG, j'ai quitté cette école à temps !), bla bla bla, Isabelle bébé, bla bla bla, TU T'ES INSCRITE EN ATHLÉTISME !!! »

Euh... que dire... Rien. Je n'ai rien à dire. Je te laisse. Ma mère veut que je l'aide à préparer le souper.

Nad

À : Nad@coolmail.com
De : Emy-Lee_Samson@coolmail.com
Objet : RE : RE : Totale platitude

Qu'est-ce qui te prend ? Pourquoi tu ne réponds pas au téléphone ? Tu boudes ?

Émy-Lee
(Qui ne comprend rien à rien...)

À : Nad@coolmail.com
De : Emy-Lee_Samson@coolmail.com
Objet : Réponds !

Ça suffit, tu m'inquiètes ! Est-ce que ta maison est en train de passer au feu ? C'est pour ça que tu ne réponds pas au téléphone, ni à mes textos ni à mes courriels ? Décroche, torbinouche !

Émy-Lee
(Qui songe sérieusement à composer le 911)

À : Nad@coolmail.com
De : Emy-Lee_Samson@coolmail.com
Objet : BFF mon œil !

Je ne te trouve pas drôle ! Tu sais que j'ai réussi à parler à ta mère, au téléphone ? Ta maison n'est pas en feu ! Tu n'es pas en train d'agoniser ! Personne n'est mort et tu n'as pas non plus été kidnappée par un dangereux maniaque.

Non... Ta mère dit que tu vas très bien et que je dois arrêter d'appeler parce que tu NE VEUX PAS ME PARLER POUR L'INSTANT !

C'est quoi, le problème ? Je me suis inscrite en athlétisme, et alors ? On ne va pas en faire un drame international ! Depuis le temps que tu essaies de me convaincre de faire du sport, tu devrais être contente !

Émy-Lee
(Qui se demande à quoi ça sert une meilleure amie, si c'est pour qu'elle te laisse tomber dès qu'elle est contrariée)

À : Nad@coolmail.com
De : Emy-Lee_Samson@coolmail.com
Objet : Week-end à la campagne

Je vois que tu n'as pas répondu à mes messages…

Je voulais juste te dire que je vais passer le reste de la fin de semaine chez ma cousine Léa-Maude. J'ai besoin d'air.

J'espère qu'on pourra se parler à mon retour, parce que, sérieux, on ne peut pas rester comme ça. En tout cas, moi, je ne vais pas laisser tomber. Je vais te harceler jusqu'à ce que tu acceptes de me parler.

Émy-Lee
(Qui s'ennuie de toi)

6

NADEIGE

Ma mère me regarde entrer dans la cuisine et me fait un large sourire. Non, madame, je ne vais pas tomber dans le panneau. Elle veut me rendre de bonne humeur et ce n'est pas demain la veille que je vais être heureuse d'aller à ce collège! Même si ça fait plusieurs jours que j'y vais et qu'aujourd'hui, lundi, sera ma première vraie semaine. Je me laisse donc tomber sur ma chaise et attrape la boîte de céréales sans dire un mot. De toute manière, ma mère s'en charge pour deux!

— Et puis, ma grande, tu te sens d'attaque pour ta première «vraie» semaine d'école?

— Grounch humphfm non!

Ce n'est pas poli de parler la bouche pleine, je sais bien, mais je n'ai pas pu me retenir de lui témoigner ma frustration. Juste au cas où elle n'aurait pas encore compris dans quel état d'esprit je me trouve…

— C'est bien ce que je me disais, rétorque-t-elle.

Nous mangeons en silence un moment avant que mon père ne fasse une apparition rapide dans la pièce pour se servir un café. Une fois cela fait, il se penche vers ma mère, lui donne un baiser sur la joue, se tourne vers moi, me caresse la tête (*euh... je ne suis pas un chien!*), me rappelle de faire ma prière (*euh, non!*) et lance :

— Ne sois pas en retard à l'autobus, Nadeige, parce que, ce matin, nous ne pourrons pas aller te reconduire.

J'ouvre grand les yeux... L'autobus ?! C'est une blague, j'espère ? Je m'exclame aussitôt :

— Quel autobus ? De quoi tu parles ? C'est maman qui...

— Ah non, ma grande, je te l'ai pourtant dit plusieurs fois, cet été : tes cours commencent trop tôt pour que j'aille te reconduire tous les matins, alors nous t'avons inscrite au service de transport scolaire. La semaine dernière, nous t'avons gâtée en allant te reconduire, mais c'est terminé. Ce matin, tu prendras l'autobus pour la première fois.

— Mais, mais... Je ne me souviens pas du tout que vous m'ayez parlé de ça ! En plus, il est hors de question que j'embarque là-dedans ! Saviez-vous qu'il y a des tas d'histoires d'inti-midation et de harcèlement, dans ces autobus ? C'est connu ! Vous voulez que votre fille se fasse harceler ?

— Nous ne sommes pas inquiets pour toi, Nadeige, tu es amplement capable de te défendre. Pour dire vrai, ce sont plutôt tes compagnons de transport que nous aurions tendance à plaindre…

— N'importe quoi! Et d'abord, où il est, mon arrêt?

— À deux coins de rue d'ici. Vous serez plusieurs à attendre l'autobus à la même place. Il te reste… un gros quinze minutes pour finir de te préparer et pour sortir. Allez, dépêche-toi! Moi, je dois y aller. Bonne journée aux femmes de ma vie! termine mon père avec le sourire, en sortant de la cuisine.

J'avale le restant de mon bol de céréales en quatrième vitesse, le lance quasiment dans l'évier (cri de ma mère dans mon dos, pour me dire de faire attention) et cours vers ma chambre. Il y a au moins un élément positif au fait de porter ce fichu uniforme horrible: je n'ai pas besoin de passer une heure à me demander ce que je vais mettre! J'enfile en un tour de main un polo, ma jupe (sale, parce qu'il est hors de question que je commence à faire du lavage!) et un débardeur. Je me tortille pour mettre mes bas et ça y est, direction la porte d'entrée.

Lorsque je passe devant ma mère, celle-ci fronce les sourcils et me demande:

— Tu es certaine que tu n'oublies rien ?

Je jette un coup d'œil dans le grand miroir de l'entrée (celui où je peux me voir de la tête aux pieds) et pars du bas (tout me semble OK) jusqu'en haut (où ça se gâte sérieusement). Encore une fois, ce n'est pas ce matin que je vais révolutionner le monde de la coiffure. Mes cheveux partent dans tous les sens. Décidément, j'ai besoin d'une bonne coupe… Je cherche des yeux un élastique (je les laisse traîner partout, c'est assez facile d'en trouver n'importe où dans la maison…) et en déniche un sur la table haute de l'entrée. En deux tours du poignet, me voici avec une queue de cheval. Parfait.

Même si je ne suis plus un bébé, ma mère vient m'essuyer le coin de la bouche de son pouce (j'ai décidément un problème avec le lait, on dirait que je n'arrive pas à en boire sans me salir !) et me souhaite une bonne journée. Je lui réponds à ma façon habituelle (en grognant) et cela la fait sourire en coin. Au fond, mes parents m'aiment comme je suis, c'est-à-dire malcommode, colérique et légèrement insupportable…

Mais j'ai des tas d'autres qualités. Demandez à Émy-Lee… Parlant de ma *best*, vous ne connaissez pas la meilleure ? Vous ne savez pas

112

ce qu'elle m'a annoncé, vendredi dernier, en revenant de l'école...

QU'ELLE S'ÉTAIT INSCRITE AU CLUB D'ATHLÉTISME DE L'ÉCOLE!!!

Évidemment, pour n'importe qui ne connaissant pas bien ma *best*, ça peut paraître anodin... MAIS ÉMY-LEE DÉTESTE LE SPORT! Elle n'a jamais voulu en faire avec moi. Avec sa meilleure amie! Je peux savoir ce qui l'a fait changer d'avis, soudainement? J'étais tellement fru, quand j'ai lu ça, que je n'avais plus le goût d'ajouter quoi que ce soit. Elle a dû me trouver bête comme mes deux pieds... Surtout que je n'ai pas voulu lui parler au téléphone quand elle a appelé chez moi. Je me sens coupable. Mais j'étais trop fâchée et je ne voulais pas non plus lui dire des bêtises. J'ai préféré faire la morte... Sauf que ma mère m'a trahie! Elle lui a dit que j'allais très bien et que je ne voulais juste pas lui parler! Grrr...

Penser à mon amie me redonne le cafard. Ce matin, elle aussi va se rendre à l'école sans moi, comme tous les autres jours. Elle va passer sa journée avec des filles qui ne seront pas moi. Elle va vivre des tas d'aventures dont je ne serai pas témoin. Et quand elle va me raconter ses journées, je vais l'écouter avec attention, tout en sachant que, d'une certaine façon, je ne fais plus partie de sa vie, de son monde… Inévitablement, elle va finir par s'éloigner de moi. Par m'appeler moins souvent. Par m'oublier ?

NON ! Je vais tout faire pour que les choses ne changent pas. Pour qu'elle me considère encore comme sa meilleure amie, malgré la distance qui nous sépare ! Et ça commence aujourd'hui. Après les cours, je vais l'inviter à venir chez moi. Et je vais m'excuser pour mon attitude de ce week-end.

Sur ces pensées positives, je marche d'un bon pas vers mon nouvel arrêt. Juste avant que je quitte la maison, ma mère m'a donné le nom de la rue et effectivement, ce n'est pas très loin. Lorsque je tourne dans cette dernière, j'aperçois trois jeunes portant le même habit (*horrible*) que le mien, qui attendent en pianotant sur leur iPod, cellulaire ou tablette. Moi, je n'ai pas le droit d'apporter mes gadgets électroniques à l'école. Encore une injustice fondamentale dans ma vie !

Avant que j'aie eu le temps de rejoindre les autres, je vois apparaître l'autobus au coin de la rue. Je me mets donc à courir et c'est complètement essoufflée, la queue de cheval presque toute défaite et le visage en sueur, que je réussis à ne pas manquer mon autobus. Bravo, Nadeige, tu es une championne pour te fondre dans la masse !

Lorsque je monte à bord du véhicule, je jette un coup d'œil aux bancs restants et soupire en remarquant qu'il n'y a plus de place à l'avant. Je me dirige donc vers l'arrière et ne trouve une place qu'en plein centre, à côté d'une fille qui doit bien peser... OK, aucune idée de son poids, mais il est clair qu'elle empiète (ça vient d'Émy-Lee, ce mot-là) sur le siège d'à côté... Je m'assois tout de même, puisque je ne n'ai pas le choix, et me recroqueville sur mon banc.

Ma voisine me jette un regard désolé, avant de se présenter :

— Salut, moi c'est Delphine. Je m'excuse, je sais que je prends de la place.

— Ben non, ce n'est pas grave. Ce n'est pas... ce n'est pas ta faute.

Je ne sais pas pourquoi je lui ai dit ça. Après tout, si elle est grosse, c'est quand même un peu sa faute, non ? D'ailleurs, elle secoue la tête et me répond, à ma plus grande surprise :

— Ah non, si tu voyais tout ce que j'ai mangé ce matin, pour déjeuner, tu ne dirais pas ça. En plus de vider mon assiette, j'ai aussi fini celle de ma mère, de mon père et de mes deux petites sœurs.

— Euh...

— Évidemment, j'aurais peut-être dû attendre qu'ils aient fini de manger avant de la leur voler, mais je n'ai pas pu m'en empêcher ! En plus, j'ai même bouffé les assiettes en porcelaine. Ça fait un peu lourd sur l'estomac, tout ça…

Je la fixe un moment, perplexe, avant de voir apparaître un sourire complice sur son visage. OK, elle est en train de se moquer de moi ! J'adore ! C'est rare qu'on réussisse à me boucher un coin. Je ne peux pas m'en empêcher et j'éclate de rire. Certaines têtes se tournent dans ma direction (c'est bon, je baisse le ton !) et je reconnais quelqu'un qui m'est familier : Sasha Lenoir.

Je ne l'ai pas vu en entrant dans le bus. Il devait avoir la tête penchée sur son iPod, lui aussi. J'y pense, pourquoi il ne va pas à l'école avec son père, lui ? Ne me dites pas que je vais devoir me taper les trajets avec lui tous les jours ! Vraiment, ça va de mal en pis.

Je prends une bonne inspiration et reviens à Delphine, pour me présenter à mon tour.

— Je m'appelle Nadeige. Je suis nouvelle au collège, mais j'ai bien l'intention de ne pas finir mon année à cette école !

— Ah bon… J'imagine que d'avoir des locaux climatisés, d'immenses terrains de basket, une piscine intérieure et une bibliothèque avec plus de livres que tu n'en verras jamais, c'est trop pour toi ?

Je l'aime bien, cette fille. Bon, pas autant qu'Émy-Lee, mais elle est sarcastique et ça me plaît. J'entre donc dans son jeu.

— Exactement. Tu sais, moi, je me contente de si peu. Quelques miettes de pain et je suis aux anges.

— C'est sûrement pour ça que tu es aussi maigre...

Pour la seconde fois en quelques minutes, j'éclate de rire. Et encore une fois, les têtes se tournent vers moi. Je fais claquer ma langue et lance un regard noir aux curieux pour qu'ils me fichent la paix. Sasha en profite pour me faire un clin d'œil (c'est à croire qu'il a des tics nerveux, à force d'en faire...). Ignorant les autres, je reprends ma conversation avec Delphine.

— Sérieux, mes parents m'ont obligée à changer d'école parce que... parce que je suis nulle et ils ne veulent pas que je coule mon secondaire. Alors je suis coincée ici.

— Avec nous... une gang de fils de riches ultra snobs qui adorent porter des vêtements tellement confo qu'ils nous font faire de l'eczéma. Je te comprends, tu sais.

— Ah oui ? C'est vrai ?

— Ouais, sauf que, dans mon cas, c'est moi qui ai voulu aller au collège, parce qu'à mon école secondaire de quartier, je n'avais pas le goût de revoir tous ceux qui riaient de moi au primaire. Je pensais que ce serait différent, au privé.

— Et c'est vraiment mieux, en fin de compte?

Delphine hausse les épaules. Pour la première fois, elle ne semble pas sur le point de faire une blague.

— Toutes les écoles se ressemblent. Ici ou ailleurs. Mais dans la nôtre, il ne se passe jamais rien et le harcèlement est interdit.

— De toute manière, je vais tout faire pour ne pas m'éterniser dans le coin.

— Ah, et comment tu comptes t'y prendre?

— Je ne sais pas trop. J'ai essayé de convaincre mes parents, mais rien à faire, ils sont trop bouchés. Je suis un peu découragée, à vrai dire…

— Pourquoi tu n'essaies pas juste de te faire renvoyer?

— Me faire renvoyer? Tu veux dire, me faire jeter en dehors de l'école?

Elle hoche la tête et se penche vers moi, pour me murmurer à l'oreille:

— Si tu veux, je suis même prête à t'aider…

— Hein? Mais comment tu vas t'y prendre?

— Facile, je vais aller me plaindre que tu fais de l'intimidation… sur moi!

Émy…

Tiens… Nad… Tu es toujours en vie ?
Tu n'as rien à me dire ?

Oui, écoute, je… je voulais
m'excuser pour ce WE.
J'aurais dû accepter de te parler.
Mais avec la distance qui nous sépare,
parfois, je me sens déprimée et…
je te fais payer pour ça.

Oublie ça ! Tu sais bien que je ne peux
pas rester fâchée contre toi bien bien
longtemps. Des plans pour que je me
fasse des ulcères d'estomac ! (C'est moi
ou ça sonne « vieux », ça ? Les ulcères,
c'est pour les vieux, non ?)

En tout cas, moi, je n'en ai jamais eu !
Je viens de revenir de l'école, devine
un peu comment ?

À dos de chameau ?

Ha ! Ha ! Très drôle !

Non, EN AUTOBUS !!! Oui, mes parents m'obligent à prendre le bus !
Tu imagines comme je déteste ça.

Ça doit être super long, le trajet jusqu'au collège ! C'est à l'autre bout de la ville ! As-tu rencontré du monde ? Des beaux gars ?

Comme si un beau gars allait pouvoir me remonter le moral ! Je ne savais pas avec qui m'asseoir. Finalement, il y avait une fille qui était toute seule (rejet comme moi…). Seul hic (et je t'interdis de me dire que je suis méchante), elle était hyper grosse. Genre… vraiment ! Je n'ai pas de problème avec les gros, tu le sais bien. Sauf que dans son cas…

Tu sais qu'un problème de la glande thyroïde peut entraîner un surplus de poids ? Il faudrait qu'elle aille voir son médecin, il lui fera une prise de sang. Oh ! Peut-être qu'elle a le syndrome de Cushing. C'est super rare, comme syndrome. Si c'est le cas, je veux la rencontrer ! Tu pourrais me la présenter ?

Je savais bien que tu me sortirais
un truc du genre.

Oublie ça, pas question que
tu lui parles de son poids !

De toute façon, en fin de compte,
elle était super drôle.

On a rigolé pendant tout le trajet.

Elle s'appelle Delphine et on a décidé
de dîner ensemble (pour que je ne doive
pas prendre mon lunch dans les toilettes).

Je t'imagine déjà me dire que les toilettes,
c'est plein de germes et que c'est
LE DERNIER endroit où aller manger...

Tu veux mourir d'une infection ou quoi ?

EN AUCUN CAS je ne t'autorise à manger
dans les toilettes. C'est encore plus
dangereux que dîner toute seule dans
une cafétéria bondée d'inconnus qui se
moquent de toi parce que tu es nouvelle et
que tu es le pire rejet de la terre. Compris ?

Bien sûr, ne t'en fais pas pour ça.

Oh, j'avais aussi une question à te poser.

Dis-moi, toi, qu'est-ce que tu penses de ça, l'intimidation ?

Tu te fais intimider ? Je croyais que tu t'en sortais bien ! Oh !

Nad, tu dois les dénoncer ! Ça va dégénérer si tu ne fais rien.

Ils vont prendre une photo de toi, la modifier pour que tu aies l'air ridicule et la mettre sur Internet. Et là, ils vont récolter deux mille « J'aime » en un rien de temps et tu seras la risée de toute l'école.

Ne panique pas, c'est… c'est pour un travail de… d'ÉCR.

Tu es sûre ? Parce que je suis là, si tu as besoin de moi. Tu le sais, ça ?

Oh, je te laisse, maman m'appelle. Les journées au collège me donnent vraiment faim, tu sais ! Je vais sûrement prendre un bon vingt livres dans les prochaines semaines et tu ne me reconnaîtras pas !

À moins que je sois juste en pleine croissance… Mais je ne veux plus grandir !

Notre différence de grandeur est déjà assez énorme comme ça!

Si tu prends vingt livres, tu m'en donnes dix? J'aimerais bien passer le cap des cent livres avant la fin du secondaire... Bon, je te laisse aller manger, petite gloutonne!

Bonne soirée!

À plus!
Ta *best* xxx

ÉMY-LEE

Je vais mourir, je le sais !

C'est trop pour mon petit corps dépourvu d'endurance et de tonus. J'ai déjà eu un cours d'éducation physique, ce matin. Je ne pourrai pas supporter un entraînement d'athlétisme EN PLUS dans la même journée. C'est du surmenage !

— Hé ! Émy-Lee ?

Je me retourne sur Clémence. Torbinouche qu'elle est grande, la chanceuse !

J'aimerais bien échanger mes jambes de bébé hamster contre les siennes une heure ou deux. Je ne serais pas la même fille si j'étais aussi gigantesque, ça c'est sûr ! Je n'aurais pas la même vie non plus...

DESCRIPTION DE MA VIE SI JE MESURAIS SIX POUCES DE PLUS :

(1.) Je pourrais acheter mes chaussures ailleurs que dans le rayon pour enfants.

(2.) Je n'aurais plus l'air d'avoir huit ans, alors les gens arrêteraient de m'appeler « petite ».

③ Les garçons s'intéresseraient un peu plus à moi (ce n'est pas que je veuille un chum à tout prix, mais un clin d'œil de temps en temps, ça ne ferait pas de mal à mon estime personnelle).

④ Finalement, je n'aurais plus besoin d'un petit banc dans la cuisine pour atteindre les verres et les assiettes (ce qui est encore plus humiliant qu'acheter mes chaussures dans le rayon pour enfants).

Je reviens sur terre et je regarde ma nouvelle amie du haut de mes « presque » cinq pieds.

— Tu veux venir chez moi ? propose-t-elle. On pourrait travailler sur notre devoir de maths. Je ne comprends rien aux formules que le prof nous a montrées en classe.

— J'aimerais bien, mais je ne peux pas. Je dois rejoindre les autres.

Clémence m'interroge du regard. D'un coup de menton, je lui montre la piste d'athlétisme, un peu plus loin.

— Tu fais partie du club ? s'étonne-t-elle. Sérieux ?

— Ouaip !

— Je ne savais même pas que tu savais courir.

— Ha! Ha! Très drôle! Je dois y aller, la comique.

— Est-ce que je peux t'appeler ce soir, si je ne m'en sors pas avec le devoir de maths?

— Oui, pas de problème!

— OK. À plus, alors!

— À plus!

Ce que Clémence ne sait pas, c'est que j'aimerais cent fois mieux l'aider toute la nuit plutôt que me présenter sur la piste. J'empoigne mon sac de sport en soupirant et j'y vais, l'estomac noué.

Ils sont déjà là. Une bonne quinzaine (au moins, ma mère n'est pas assise dans les estrades! Fiou!).

Je ne sais pas pourquoi, mais j'avais l'impression que je ne verrais que des filles. Pourtant, je savais bien qu'il y avait aussi des gars dans le club. Mon cœur se serre. Tant qu'à me faire humilier, aussi bien que ce soit devant tout le monde, non?

Une brunette pointe un doigt dans ma direction, l'air exaspéré.

— Enfin, elle arrive!

Les autres se tournent vers moi et y vont de leurs propres commentaires.

— Il était temps!

— Ça fait cinq minutes qu'on attend !

— On a hâte de commencer, nous !

Quoi ? Je suis en retard de deux minutes, on ne va pas en faire un drame ! J'approche sans un mot et, tout de suite, une asperge de six pieds prend la parole pour me faire la morale avec un air supérieur.

— Je vais être indulgente parce que tu es nouvelle et que c'est notre premier entraînement, mais je vais te demander d'arriver à l'heure, la prochaine fois, sinon…

Sinon quoi ? Elle va me torturer jusqu'à ce que j'avoue mon crime ? L'asperge ne finit pas sa phrase et se retourne vers le reste du groupe.

— Bon. Commençons. Je me présente. Mon nom est Alicia et je serai votre entraîneuse pour l'année. Je suis étudiante en…

Pendant qu'Alicia nous dresse un portrait de son parcours en tant qu'athlète de haut niveau (mon œil !), je laisse mon regard glisser autour de moi. Je suis la plus petite. La moins musclée. Je ne porte pas les chaussures dernier cri et je ne sautille pas sur place pour échauffer mes muscles, comme le font tous les autres. (Non mais ! Je risque de m'épuiser avant même d'avoir commencé !)

Parmi eux, je reconnais Talia et Gaby, deux filles de cinquième qui font de l'athlétisme depuis des années ; Hugo, un gars hyper musclé qui court le meilleur cinquante mètres de toute l'école ; Yan, Joey et Will, les inséparables ; et Simone, une jolie blonde qui a l'air plutôt gentille. Puis, il y a…

My! God!

Maxime-Alexandre fait partie du club ? Pourquoi personne ne m'avait dit ça ? Je n'ai pas envie qu'il sache à quel point je suis nulle en sport.

— Vous êtes prêts ? Allez-y ! crie Alicia.

Oh ! Qu'est-ce qui se passe ? Tout le monde s'élance vers la piste et moi, je ne sais pas du tout ce que je dois faire. J'aurais peut-être dû écouter les consignes de mon entraîneuse-asperge. Si au moins Nad était là, elle saurait quoi faire (et je n'aurais qu'à essayer de faire comme elle).

— Deux tours de piste, me souffle Maxime-Alexandre en passant à côté de moi.

— Merci !

Je ne pense pas qu'il m'ait entendue. Il est déjà loin. Je n'ai pas trop le choix, je dois me lancer. Comme je ne veux pas me ridiculiser dès les cinq premières minutes, je décide de me donner à fond. Je contracte les muscles de mes cuisses et je m'élance aussi vite que possible.

Wow ! Ça marche ! Je suis hyper rapide ! Je ne pensais pas que j'arriverais à battre les meilleurs dès le premier jour. Nad avait raison, ce n'est pas si difficile, le sport ! Je dépasse Hugo et Joey en un rien de temps ! Et Simone ! Et encore un autre ! Quelle sensation !

Au bout d'une centaine de mètres, je sens une présence à mes côtés.

— Relaxe, Émy-Lee ! Ce n'est que l'échauffement.

Je tourne la tête. C'est Maax. Il n'a même pas l'air essoufflé.

— Et alors ?

— Un échauffement, ça sert à préparer tes muscles pour la suite. Si tu continues comme ça, tu vas te faire un claquage. Relaxe.

— OK.

Je ralentis la cadence et on court côte à côte. J'ai envie de lui poser mille et une questions, mais ma respiration est si rapide que je n'arrive pas à prononcer un mot. J'ai l'impression que je vais m'effondrer d'un moment à l'autre.

Finalement, je réussis à terminer mes deux tours de piste et on se place tous en rond pour effectuer quelques étirements. Talia et Gaby, les deux pros de l'athlétisme, s'installent à côté de moi. Le sourire en coin de Talia ne me dit rien qui vaille. Le diable lui-même me paraîtrait plus sympathique si je me trouvais en face de lui.

— Alors, la «chinetoque»? Tu veux jouer dans la cour des grands? me nargue-t-elle, juste assez fort pour que je l'entende.

La «chinetoque»? Elle n'a rien trouvé de plus original? Cette expression est si vieille qu'elle devait déjà exister à l'époque des hommes de Cro-Magnon.

— Tu es sourde ou quoi?

Je secoue la tête et je lui tourne le dos. Je ne vais pas me rabaisser à lui répondre. De toute façon, je ne saurais pas quoi dire. Je devrais demander à Nad de me dresser une liste d'insultes à utiliser en cas d'urgence.

— Je ne sais pas si elle est sourde, ajoute Gaby en ricanant, mais chose certaine, elle était absente le jour où ils ont donné le cours «Comment s'habiller pour faire du sport 101»!

Elles rigolent si fort qu'Asperge doit les ramener à l'ordre. C'est vrai que je détonne à côté de leurs petits kits parfaits: shorts stretch, camisoles assorties, montre chronomètre. Pourquoi pas des chaussures à crampons, tant qu'à y être?

Je baisse les yeux vers le sol et je vois… Oh! Des chaussures à crampons! Je n'y crois pas! On s'entraîne pour les prochains Jeux olympiques, ou quoi?

— OK, gang! Écoutez-moi! crie Alicia pour qu'on l'entende. On va commencer par une longueur de fentes, une longueur de squats, une série de sprints et des sauts en puissance. C'est parti!

Je relève la tête et je prends une grande inspiration. J'ai vraiment juste envie de pleurer.

* * *

Si j'avais un journal intime, voici ce qui serait écrit à l'intérieur :

MERCREDI 9 SEPTEMBRE, 6 H 30

Je me réveille. Tout va bien. J'ouvre les yeux. Tout va bien.

Je bouge une jambe. Torbinouche! D'où provient cette douleur?

6 H 40

Je dois bouger de mon lit, mais je n'y arrive pas.

Qui aurait cru qu'il y avait tant de muscles dans le corps humain? J'ai mal PARTOUT. Chaque centimètre carré de ma petite surface me fait souffrir : mes jambes,

mes pieds, mes mollets, mes cuisses (oh!
Les cuisses, je crois que c'est ce qu'il y a
de pire!), mon dos, mes bras, et même
le derrière de mes oreilles. Pour vrai!

6 H 50

Maman m'a déjà appelée trois fois. Je n'ai
plus le choix. Je dois me lever.

7 H

Je suis debout. Tout va bien, tant que
je n'essaie pas de mettre un pied devant
l'autre.

7 H 45

J'ai réussi à m'habiller. Ouch!

J'ai réussi à manger. Re-ouch!

Je suis même allée à la toilette et j'ai failli
m'évanouir.

ADIEU, CHER JOURNAL! Si on ne se revoit pas,
dis-toi que c'est parce que je suis morte de
douleur quelque part en chemin pour l'école.

Contre toute attente, je suis parvenue à
destination en un seul morceau. Dans la cohue

matinale, j'essaie d'éviter le contact avec les autres élèves, mais ce n'est pas si facile. On se croirait dans un zoo, ici.

Alex arrive à côté de moi et me donne une petite tape sur l'épaule. Dans un mouvement éclair, j'agrippe le bras de mon assaillant et le lui maintiens derrière le dos pour l'empêcher de bouger. J'étais loin de me douter que je possédais une telle force! Il faut croire que l'instinct de survie prend le dessus en situation de détresse! Nad serait super fière de moi!

— Hé! Qu'est-ce qui te prend?

Je souffle à son oreille:

— Toi, tu ne tiens pas à la vie!

Je dois avoir l'air archi mauvais parce qu'Alex cesse de respirer et bredouille:

— Je... Je t'ai à peine touchée.

— Peut-être, mais tu m'as fait tellement mal qu'on aurait dit que tu m'avais enfoncé un couteau dans la chair.

— Excuse-moi.

— C'est bon. J'accepte tes excuses. Je me suis peut-être énervée un peu vite.

Alex pivote la tête d'un quart de tour pour tenter de me regarder. J'arrive à peine à voir ses yeux derrière son épais rideau de cheveux noirs.

— Tu peux me lâcher, maintenant?

— Oh oui ! Désolée, dis-je en libérant son bras. De toute façon, il faut que j'y aille. Une mission périlleuse m'attend.

— Une mission ?

Je place les mains autour de ma bouche et je chuchote :

— Je dois aller au « pipi room ».

— Tu sais, ce n'est pas si compliqué, comme principe, m'explique Alex comme si j'avais trois ans. Tu marches jusqu'à la porte qui est juste là, tu entres, tu te choisis une cabine, tu baisses ton pantalon et…

— Et c'est là que ça se complique.

— Pourquoi ? Il est trop serré ? Je comprends ! Je ne sais pas comment tu fais pour porter des skinny. Ça me paraît aussi confortable que dormir à deux dans un sac de couchage.

Je grimace pour lui faire comprendre l'impertinence de ses propos. Alex ne connaît rien à la mode, ce n'est un secret pour personne. Il suffit de regarder son accoutrement pour s'en rendre compte. Je lui explique :

— Ce n'est pas mon pantalon, le problème.

— Qu'est-ce que c'est, alors ?

— J'ai eu mon premier entraînement d'athlétisme, hier. Je suis blessée.

—Ne me dis pas que tu t'es fait un claquage ?

— Non, ce n'est pas ça.

— Tu t'es foulé la cheville?

— Non plus.

— Tordu un genou?

— Non, non, rien de tout ça. Mais j'ai vraiment mal partout.

Alex éclate de rire. Je crois que c'est la première fois que je vois un sourire apparaître sur son visage.

— Tu n'es pas blessée, alors. Tu es courbaturée. C'est normal. Tu te sentiras mieux dans deux jours.

J'écarquille les yeux. Je suis fichue!

— Dans deux jours? Non, non! Je dois aller mieux tout de suite! J'ai un autre entraînement demain! Mes cuisses sont si douloureuses que je ne sais pas comment je vais faire pour demeurer accroupie au-dessus de la toilette pendant que… que je fais mes trucs…

— Ben là! Tu n'as qu'à t'asseoir.

Décidément, Alex et moi ne vivons pas sur la même planète. On est dans une polyvalente, pas dans un hôtel cinq étoiles! Je ne vais quand même pas prendre le risque de poser mes fesses sur ces trucs infestés de vermine. Il y a tant de microbes et de maladies contagieuses que je risque de perdre un bras juste parce que j'ai eu le malheur de les regarder de trop près.

— Pas besoin. J'ai une technique super efficace pour ne pas toucher à la cuvette. Tu veux voir ?

Alex m'observe, perplexe. Son visage m'indique clairement qu'il (qu'elle) me prend pour une cinglée. Ce qu'il (qu'elle) ne sait pas, c'est que je suis plus rusée qu'un renard.

— Je ne comprends pas..., bafouille-t-il (elle), les sourcils froncés. Tu veux que je t'aide à aller aux toilettes ?

— Pourquoi pas ?

— Euh… Non. Je crois que je vais m'en aller maintenant.

Et voilà ! C'était presque trop facile. Alex est un garçon, c'est évident ! N'importe quelle fille aurait accepté l'invitation avec plaisir.

Il s'enfuit à toute vitesse et me laisse seule avec mes muscles endoloris et ma vessie pleine à craquer.

À : Nad@coolmail.com
De : Emy-Lee_Samson@coolmail.com
Objet : Infos en vrac

Désolée, je n'ai pas beaucoup de temps pour t'écrire. J'ai une présentation orale à préparer pour mon cours d'anglais. (L'école vient à peine de commencer, Mauve et Vert pourrait relaxer un peu !)

Voici donc quelques infos en vrac :

J'ai encore mal partout, mais le bain chaud m'a fait du bien, merci pour le conseil.

Demain, j'ai un autre entraînement. J'ai hâte de revoir Maax. Il est trop beau quand il court. Et quand il ne court pas. Et quand il fait ses étirements. Et quand il rit… Est-ce que je t'ai dit qu'il avait été super gentil avec moi, hier ? Oui, je crois que je te l'ai dit. Peut-être deux fois, même… OK. J'arrête de parler de lui. Le seul hic : ma mère veut venir me voir. Grrr !

C'est réglé ! Alex est un gars.

J'ai trop hâte à samedi ! Ça fait des semaines que j'attends pour le voir, ce film ! Qu'est-ce que tu dirais si on allait au cinéma en début d'après-midi ? Comme ça, il nous resterait assez de temps pour aller magasiner ensuite. C'est un bon plan, tu ne trouves pas ? J'aimerais qu'on fasse un tour à la librairie, je n'ai plus rien à lire. J'ai aussi besoin d'un nouveau manteau d'automne, mes parents vont me donner des sous. Cool, hein? J'ai trop hâte à samedi! (Oui, ça aussi, je l'ai déjà dit. J'espère que je ne souffre pas d'Alzheimer!)

Je te laisse! Bonne soirée!

Émy-Lee
(Qui a trop hâte à samedi)

À: Emy-Lee_Samson@coolmail.com
De: Nad@coolmail.com
Objet: Ce week-end…

Tu vas m'en vouloir à mort… Je m'excuse à l'avance, mais je n'ai pas le choix d'annuler notre sortie au cinéma de samedi. Je sais que je t'avais dit que je t'accompagnerais, mais c'est physiquement impossible. Si tu voyais la tonne de devoirs qu'ils nous donnent, dans ce collège de sans-dessein! J'ai juste le goût de tout mettre dans un grand feu et de regarder mes cahiers brûler pendant des heures!

Mais je ne peux pas. Mes parents sont déjà sur mon dos à me pousser et à vouloir que je réussisse mon secondaire deux. Si j'étais moins nulle, aussi… C'est pourquoi j'ai demandé à Delphine de venir m'aider à comprendre tout ce que j'ai à faire. J'aurais cent fois préféré que ce soit toi, mais comme on n'a pas les mêmes cours… En tout cas, si j'ai le temps de les finir avant dimanche, je t'appelle, OK ?

C'est promis…

Nad
Ta *best* (qui se sent comme une moins que rien, en ce moment…)

À : Nad@coolmail.com
De : Emy-Lee_Samson@coolmail.com
Objet : RE : Ce week-end…

———————————————————

Je ne serais pas ta meilleure amie pour vrai si je t'en voulais parce que tu fais tes devoirs… C'est sûr que je suis déçue (ciné + pop corn + magasinage, tu es sûre que tu veux manquer ça ?), mais je vais survivre… Ou pas. (C'est une blague !)

On n'a qu'à remettre ça à la semaine prochaine. Dac ?

Bonne journée !

Émy-Lee
(Qui va geler en attendant d'avoir un beau manteau tout neuf)

8

NADEIGE

Je pose mon sac à lunch devant Delphine et me laisse tomber lourdement sur mon banc. Par chance, c'est déjà vendredi. Il ne reste qu'une journée (la MOITIÉ, en fait, car c'est déjà l'heure du dîner) et je suis à la fois soulagée et terriblement déçue. Soulagée parce que je vais avoir une pause de deux jours ce week-end. Et déçue parce que je ne verrai pas Émy-Lee samedi. Alors qu'habituellement je vois TOUJOURS ma BFF le samedi ! TOUJOURS ! Comme dans « c'est impossible que quelque chose soit plus important qu'elle » !

Sauf que... j'ai genre UN MILLION DE MILLIARDS de devoirs ! Et je n'y arriverai jamais, je le sens. Alors, pour ne pas montrer à mes parents que je suis une nullité et qu'ils ont eu raison de m'envoyer dans ce fichu collège, j'ai décidé de faire un effort pour ne pas couler. Ainsi, lorsque je serai renvoyée (après avoir intimidé Delphine, comme prévu), ils accepteront sans trop rechigner que je réintègre mon ancienne école. Ce plan est tellement simple que j'ai peur qu'il échoue.

Mais je n'ai pas trop le choix en ce qui concerne ces devoirs. C'est pourquoi j'ai demandé à Delphine si elle voulait venir chez moi demain, pour m'aider. Au moins, comme elle est drôle et sympathique, cette fille, je ne vais pas trop m'ennuyer. Par contre, je ne sais pas du tout si elle est bonne ou non à l'école. Nous ne sommes pas dans la même classe et je ne la vois qu'au dîner. D'ailleurs, nous avons rapidement pris l'habitude de manger ensemble. Même que ça fait partie du plan. Delphine et moi, nous avons prévu faire comme si nous étions devenues amies cette semaine (ce qui n'est pas faux non plus) et aujourd'hui, justement pendant l'heure du lunch, BAM! On va se disputer et je vais me mettre à la harceler et à l'intimider.

Elle m'a fait une liste de tous les mots grossiers que je pouvais utiliser pour l'insulter. Ou cette fille a trop d'imagination, ou elle n'a pas eu la vie facile jusqu'à maintenant... Malheureusement pour elle, j'opterais pour la seconde possibilité. Je ne comprends pas trop pourquoi, d'ailleurs, car plus je la côtoie, plus je la trouve vraiment cool. Pas autant que ma *best*, mais pas trop loin derrière. Par contre, je ne suis pas sûre qu'Émy-Lee la trouverait si intéressante. Regardez bien ce qui va suivre, vous allez comprendre...

Delphine est en train de manger un sandwich dégoulinant de mayonnaise au-dessus d'une serviette de papier qu'elle a posée sur la table. Lorsqu'une goutte de mayo tombe sur la serviette, suivie d'une autre, ma nouvelle amie passe le doigt dessus et le porte à sa bouche sans s'en rendre compte. Pas de quoi fouetter un chat, vous me direz... En tout cas, pas pour moi. Le matin, quand j'échappe du lait de mon bol de céréales sur la table, je me penche vite fait et j'aspire le tout avec ma bouche. Ça fait un énorme bruit de succion qui horripile ma mère (elle passe son temps à me dire de ne pas faire ça).

Évidemment, JAMAIS je n'agirais ainsi devant ma meilleure amie. Parce qu'Émy-Lee, elle est un peu spéciale. Disons, pour être polie, qu'elle est totalement et complètement en train de virer sur le capot, avec ses histoires de germes et de bibittes qu'elle s'imagine un peu partout. Bref, de la nourriture qui tombe sur une table, pourtant propre, devient pour elle soudainement poison. Comme si elle risquait de mourir dans d'atroces douleurs juste en y touchant! Et là, je ne vous ai pas parlé de son obsession des toilettes...

Donc, pour en revenir à Delphine qui est en train de manger, je sais qu'Émy-Lee ne pourrait tolérer de la voir agir ainsi. Elle ferait un commentaire et ma nouvelle amie se sentirait jugée. Émy-Lee a le don de se mettre les pieds dans les plats. Même si elle ne le fait pas exprès (*contrairement à moi*), elle doit encore retravailler sa sociabilité, si elle veut devenir un peu plus populaire...

Mais moi, je l'aime comme elle est! Ce n'est pas ma *best* pour rien!

Alors après ma petite mise en scène d'aujourd'hui, tout devrait rentrer dans l'ordre, puisque je retournerai à son école! Allons-y donc pour le théâtre...

Je fais un clin d'œil à Delphine, qui hoche la tête en déposant son sandwich. C'est notre signe pour dire qu'elle est prête. J'inspire et me lance.

— Sérieux, c'est dégueu comment tu manges! Et tu bouffes pour douze! Pas pour rien que t'es aussi... aussi...

Là, il ne faudrait pas exagérer. Je suis tout simplement incapable de la traiter de grosse! Delphine fronce les sourcils, tend le cou vers moi et attend que je le dise. Mais je ne peux juste pas! À la place, c'est une autre voix que la mienne qui parvient à nos oreilles, à une table seulement de nous.

— Elle mange comme un cochon! Il était temps que tu le remarques! Ça fait une semaine que tu dînes avec elle. On ne peut pas dire que t'es super rapide, comme fille...

Je me tourne rapidement vers celle qui a insulté non seulement Delphine, mais moi, par la même occasion. Et je ne peux évidemment pas m'abstenir de la remettre à sa place, puisqu'il s'agit de la greluche que j'ai eu le plaisir de rencontrer lors de la première journée d'école. On ne s'était pas encore reparlé, mais j'ai appris son nom durant la semaine. Elle s'appelle Noémie. C'est une des filles les plus populaires de notre niveau et elle est dans ma classe.

— Dans ton cas, je me demande comment tu fais pour manger, avec tout le maquillage que tu t'étends dans le visage. Tu dois même avoir de la misère à sourire. Si au moins ça te rendait plus jolie...

Ses amies, à ses côtés, ouvrent les yeux de surprise. Ça ne doit pas arriver souvent qu'elle se fasse remettre à sa place, celle-là ! D'ailleurs, elle manque de s'étouffer avec un raisin, qu'elle venait de mettre dans sa bouche, et elle pousse de drôles de petits couinements. Qui me rappellent étrangement ceux des cochonnets...

Comme personne ne réagit et que le visage de Noémie est en train de changer de couleur, je me lève en vitesse, me positionne derrière elle et lui fais la manœuvre pour déboucher les tuyaux. Mieux connue sous le nom de la manœuvre de

Heimlich. Pourquoi je la connais? Parce que je fais de la natation depuis des années et que la RCR n'a plus aucun secret pour moi. Un coup, deux coups, trois coups et hop! Un beau petit raisin rouge lui sort de la bouche et va se planter entre les deux yeux couverts de mascara de son amie assise en face d'elle.

Noémie tousse quelques secondes, puis me repousse, en s'écriant :

— Elle a failli me tuer! Elle a failli me tuer! C'est une meurtrière!

J'ouvre la bouche pour riposter, mais une surveillante arrive à cet instant et m'agrippe le bras. Puis, elle m'amène de force vers le secrétariat. Je ronchonne pour la forme, bien qu'une part de moi soit particulièrement satisfaite des événements. Je n'ai pas eu besoin d'insulter mon amie Delphine (j'ai même pu la défendre contre l'attaque gratuite de cette pie de Noémie), j'ai remis la greluche à sa place et elle s'est étouffée à cause de moi! Si tout cela peut faire en sorte que je sois expulsée du collège, ce sera parfait...

J'arrive donc dans le bureau du directeur avec un large sourire. La surveillante lui explique brièvement la situation (j'ai sauté sur une autre élève et j'ai essayé de la tuer). Je lui lance un regard désabusé, en prenant place devant monsieur Lenoir. Lorsque la surveillante finit par sortir de la pièce, le directeur garde le silence quelques instants, avant de demander :

— Bon, et maintenant, si tu me racontais ce qui s'est réellement passé ?

Je pèse bien mes mots, car je dois absolument être la grande coupable, dans toute cette histoire. Mais avant que j'aie eu le temps de dire quoi que ce soit, un grand dadais, qui est aussi dans ma classe et que je vois presque tous les jours depuis la rentrée, déboule dans la pièce à son tour et s'écrie :

— Wow ! Papa ! Nadeige vient de sauver la vie à une fille dans la café ! Si tu avais vu ça ! Noémie était en train de s'étouffer et Nadeige est tout de suite allée lui faire la manœuvre de... comment ça s'appelle, déjà ? Le truc avec le poing dans le ventre...

— Heimlich. Sauf que ce n'est pas..., dis-je en essayant de reprendre le contrôle de cette conversation.

— Et Noémie s'est mise à crier. Elle a eu une de ces peurs ! Pour vrai, Nadeige, c'est une héroïne, papa !

— Non, pas du tout ! Je...

Tout va à l'envers ! Et qu'est-ce qu'il fait ici, d'abord, Sasha ? Qu'il se mêle de ses affaires ! Je ne veux pas être félicitée, je veux être renvoyée ! Je voudrais lui dire de se taire, mais il continue à chanter mes louanges. Son père finit par être atteint par tout l'enthousiasme de son garçon et me dit qu'il est fier de moi. Que je représente ce que son collège essaie d'enseigner à ses élèves et bla bla bla…

Je vais étriper Sasha ! Là. Tout de suite. On verra bien comment son père va réagir en me voyant sauter à la gorge de son fiston adoré ! Pas certaine que j'aurai encore droit à une médaille et à un trophée. Le directeur me remercie une dernière fois d'avoir été aussi prompte à réagir et m'encourage à toujours agir ainsi, avant de me donner mon congé. Je me lève, les jambes tremblantes de colère. Je passe à côté de Sasha, qui semble un peu trop content de lui.

D'ailleurs, il me suit dans le couloir et je l'intercepte dès que nous tournons le coin, question de ne pas être entendue de son père. Je pose les mains sur son torse et le pousse contre le mur. Je m'approche à moins de deux centimètres de son nez et demande :

— C'était quoi, ça, dans le bureau de ton père ?! À quel jeu tu joues, au juste ?

— À rien du tout, Nadeige. Mais j'ai dit la vérité, moi. Tu as été incroyable, tout à l'heure…

— Et de quoi je me mêle ? J'étais capable de gérer la situation toute seule. Je n'avais pas besoin que tu viennes tout radoter en détail !

— Tu en es sûre ? Parce que ce n'est pas l'impression que j'ai eue, quand je suis entré dans le bureau. En plus, ce serait dommage de te perdre comme joueuse de scrabble avant même que les séances ne soient commencées…

— De quoi tu parles ? Tu n'as aucune idée de ce que j'allais lui raconter, à Lenoir. Pardon, à monsieur Lenoir, dis-je en reculant d'un pas.

Sasha en profite pour se décoller du mur et avancer vers moi à son tour. Je continue de reculer, de telle sorte que c'est bientôt moi qui me retrouve coincée de l'autre côté du couloir.

— Arrête un peu. Je ne suis pas stupide et certainement pas sourd. Si tu crois que je ne vous ai pas entendues dans l'autobus, Delphine et toi, parler de votre plan pour te faire renvoyer de l'école. Et puis ce n'est pas ton genre d'insulter quelqu'un qui ne t'a rien fait. Toi, tu sors les dents seulement envers ceux qui le méritent. Je t'ai vue aller, Nadeige. La seule chose que je ne comprends pas, c'est pourquoi tu tiens tant à partir d'ici.

Il est rendu si proche de moi que je peux voir les paillettes dorées qui parsèment ses yeux bruns. Je remarque ses cils, qui sont beaucoup

trop longs et fournis pour appartenir à un garçon. (Ou en tout cas, c'est totalement injuste!)
Je gonfle mes poumons, pour ne pas me laisser
impressionnée, et je m'écrie :

— Premièrement, ce ne sont pas tes oignons.
Et deuxièmement, tu ne me connais pas du tout,
alors ne t'imagine pas que tu me comprends.

— Et si je décidais que oui, ce sont mes
oignons, justement… ?

Son nez touche quasiment le mien. Ses
lèvres ne sont plus qu'à quelques centimètres des
miennes. Il doit avoir remarqué que je suis déstabilisée, car il plisse les yeux. Ma voix devient
rauque, lorsque je murmure :

— Je ne vois pas pourquoi tu ferais ça…

Il me sourit et finit par faire un pas en arrière.
Puis, il hausse les épaules avant de me répondre :

— Je n'ai pas le goût que tu partes. Alors tu
risques de me trouver dans tes pattes, à ta prochaine « bonne idée »…

Et il tourne les talons, les mains dans les
poches. Je sens tout le stress évacuer mon corps
d'un seul coup et je commence à faiblir. Si Émy-
Lee était là, elle me dirait que ce gars m'est tombé
dans l'œil. Et moi, je lui répondrais qu'elle fabule.
Mais elle n'est pas là. Et je n'ai personne à essayer
de convaincre du contraire.

À part moi…

À : Emy-Lee_Samson@coolmail.com
De : Nad@coolmail.com
Objet : Moi, une héroïne !

Je n'ai pas beaucoup de temps pour te parler, mes parents veulent que je les accompagne à l'épicerie. Je voulais juste te dire que j'ai sauvé une vie, ce midi ! Moi, une vraie héroïne ! Bon, j'aurais peut-être dû laisser la greluche s'étouffer avec son raisin, dans la cafétéria, mais tu aurais quand même été fière de moi. J'ai utilisé la méthode Heimlich et elle s'est remise à respirer.

Grâce à moi, tu seras donc toujours en sécurité !

OK, je te laisse !

Nad
Ta *best* (très bientôt décorée de la médaille de bravoure…)

À : Nad@coolmail.com
De : Emy-Lee_Samson@coolmail.com
Objet : RE : Moi, une héroïne !

Si cette fille est trop tarte pour savoir qu'il ne faut JAMAIS manger de raisins, alors elle ne méritait pas que tu la sauves. Non mais! Tout le monde sait que c'est la cause numéro un des étouffements! Il existe des centaines d'articles qui expliquent le phénomène de long en large, je te donnerai le lien Internet, si tu veux. Un peu d'éducation sur le sujet ne lui fera pas de tort, on dirait!

Sache que je suis quand même très fière de toi, Nadeige la secouriste! Je te félicite. Si j'avais été à ta place, je crois que j'aurais perdu connaissance AVANT la greluche tellement je ne suis pas faite forte. Tu devrais pousser tes cours de RCR encore plus loin et essayer de devenir sauveteuse. Je t'imagine bien, l'été prochain, sur le bord d'une piscine, entourée de beaux gars bronzés (et là, j'inclus le séduisant fils du directeur, hi, hi!).

Bonne épicerie et bonne fin de semaine!

Émy-Lee
(Qui va passer son premier samedi sans toi depuis des siècles)

9

ÉMY-LEE

J'ai l'impression d'être un imposteur. Une hypocrite. Un visage à deux faces.

C'est normal, non? Nad et moi avons l'habitude de passer tous nos samedis ensemble. On se promène, on va au cinéma, on écoute de la musique, on niaise sur Internet.

Qu'est-ce qui me prend, alors? Pourquoi est-ce que j'ai invité Clémence, Alex et Thierry à venir chez moi?

1. Parce que je suis égoïste.
2. Parce que je suis sans-cœur.
3. Parce que je suis en train d'abandonner ma meilleure amie.

Faux! Archi-faux!

Voici la VRAIE réponse:

4. Parce que je lui ai proposé de venir chez moi, mais qu'elle a refusé en prétextant qu'elle avait trop de devoirs à faire.

Trop de devoirs? Torbinouche! J'ai bien essayé de faire comme si ça ne me dérangeait pas, mais c'est quand même moi, la spécialiste des devoirs, non? Pourquoi je ne pourrais pas l'aider? Est-ce qu'elle me cache quelque chose?

Les meilleures amies ne sont pas censées avoir de secrets l'une pour l'autre. En tout cas, pas nous deux. On s'est juré de toujours tout se dire, alors Nad connaît tout de moi: mes joies, mes peines, mes bons coups, mes échecs, mes *kicks*, mes craintes. Bref, elle est même au courant de ce que je mange chaque matin pour déjeuner.

Il faut entretenir les belles relations si on veut qu'elles nous suivent toute notre vie. Oui, je sais, c'est beau, comme phrase. Elle ne vient pas de moi, c'est ma mère qui me rebat les oreilles avec ça depuis que je suis toute petite. Cependant, je dois avouer qu'elle n'a pas tout à fait tort. Une amitié comme la nôtre, c'est trop important pour qu'on commence à se faire des cachotteries. Les mystères, ce n'est pas pour nous!

Le problème, c'est que, côté cachotteries, je remporte la palme sans hésitation. Je sais que c'est pour notre bien à toutes les deux, mais ça ne change rien au fait que j'ai l'impression de trahir Nadeige. Et je déteste ça!

Bon ! Ça suffit, les lamentations ! Je ne peux rien changer à la situation pour l'instant, alors aussi bien m'amuser.

Bien assis sur le tapis de ma chambre, on attend que la nouvelle application finisse de se télécharger.

— Ça y est ? C'est installé ? s'impatiente Alex.

— Presque, confirme Thierry. Encore une minute et ça sera prêt.

C'est la première fois qu'on se retrouve tous les quatre en dehors de l'école. Ce n'est pas parfait, mais ce n'est pas si mal non plus.

— J'ai trop hâte de savoir avec qui je vais me marier ! s'exclame Clémence, excitée comme une puce.

— Et moi, je me demande si mes parents vont m'acheter la nouvelle version du jeu *Proud to be Heroes*, ajoute Alex.

Thierry relève la tête et roule les yeux.

— C'est une application qui lit les lignes de la main, explique-t-il, découragé. Pas un livre d'astrologie.

— Oui, mais ça dit qu'on peut demander ce qu'on veut, réplique Alex.

— Il ne faut pas exagérer. Ça ne dressera pas une liste de tes cadeaux de Noël, quand même !

Bon, ça suffit, les conversations qui ne mènent à rien. Moi aussi, je suis curieuse de savoir comment ça fonctionne, alors j'interviens :

— C'est prêt ou pas ?

— Oui ! Voilà ! C'est installé, confirme Thierry. Qui commence ?

Évidemment, tout le monde veut essayer en premier. Je laisse donc Clémence argumenter et obtenir son laissez-passer.

— Qu'est-ce que je dois faire ? demande-t-elle, un peu nerveuse.

Thierry hausse les épaules et lui tend la tablette. Mon amie lit les instructions à voix basse et pose la main droite sur l'image tracée en noir pendant qu'on retient notre souffle. Une lumière fluorescente monte et descend à la manière d'un photocopieur. Au bout de quelques secondes, un « bip » se fait entendre et les détails de son destin s'inscrivent en grosses lettres.

« Vous trouverez l'amour dans les prochains jours. »

— Tu crois que c'est vrai ? demande Clémence, les yeux ronds. Tu crois que je vais trouver l'amour ?

— Ça serait quand même surprenant, dis-je à voix haute.

— Ben là ! se braque Clémence. C'est fin !

— Non! Ce n'est pas… C'est juste que…

Qu'est-ce que je peux être maladroite, parfois! Je ne veux pas l'insulter, je veux juste éviter qu'elle se crée de faux espoirs.

— Ce que veut dire Émy-Lee, intervient Thierry pour voler à mon secours, c'est qu'on ne doit pas prendre à la lettre tout ce que raconte cette machine. On fait ça pour s'amuser, c'est tout.

Il a tout compris. Je lui offre un sourire en guise de reconnaissance.

— Vous avez raison, approuve Alex en lui ôtant la tablette des mains. Mais c'est très drôle, alors on continue! C'est mon tour!

Je crois que je ne l'avais jamais vu aussi enthousiaste. Alex replace une mèche de cheveux derrière son oreille, prend une grande respiration et pose la main sur la vitre. Son visage change d'expression dans le temps de le dire.

«Attention! Un grand malheur vous guette!»

— Quoi? Ben voyons! s'indigne-t-il. Ce n'est pas possible! Un grand malheur? Quel grand malheur?

— Si j'étais toi, je regarderais des deux côtés de la rue avant de traverser, pouffe Thierry. On ne sait jamais!

— Tu devrais peut-être même mettre un casque, juste au cas, ajoute Clémence, pince-sans-rire.

— Et des protège-genoux…

— Ha ! Ha ! Très drôle ! se fâche Alex. Ça dit n'importe quoi, ce truc ! Il ne va m'arriver aucun malheur. Tiens, Émy-Lee, c'est à ton tour.

La tablette atterrit rudement sur mes genoux, signe qu'Alex est contrarié par les prédictions hasardeuses de l'appareil.

Je pose ma main sur l'image et j'attends…

Soudain, mon cœur s'emballe. Et si ça annonçait ma mort imminente ? Ou pire, un cancer ? Il y a une étrange tache brunâtre sur mon bras, depuis ce matin. C'est sûrement ça ! Je sais que je ne dois pas croire les théories farfelues d'une application gratuite, mais c'est plus fort que moi, je suis inquiète. Que va-t-elle me révéler ? Je suis peut-être en train de découvrir les secrets de la fin de ma propre vie sans pouvoir y changer quoi que ce soit.

« Vous avez un admirateur secret. »

Quoi ? C'est tout ? Pas de maladie grave ? Pas de séjour prolongé à l'hôpital, ni de traitements éprouvants ? Je pousse un soupir de soulagement.

— Oh ! Un admirateur secret ? s'exclame Clémence. Je me demande qui ça peut être !

J'ai envie de crier: «Maxime-Alexandre!» mais aucun son ne sort de ma bouche. Il est trop gentil. Trop intelligent. Trop beau et trop sportif pour s'intéresser à une fille comme moi. Je ne dois pas prendre mes désirs pour des réalités.

De toute façon, qu'est-ce que je ferais d'un chum? Je passerais mes journées à le regarder sans arriver à prononcer un seul mot? Je serais si gênée que je perdrais connaissance à l'idée de l'embrasser? Non. Franchement. Je ne suis pas prête pour ça. Ce n'est pas l'envie qui manque, non... Ce sont les capacités physique et émotionnelle qui me font défaut. Je dois me rendre à l'évidence.

Le problème, c'est que mes amis ne voient pas les choses de mon point de vue. Ils récitent les noms de tous les gars de l'école en se demandant qui peut bien être ce mystérieux admirateur. Ils en oublient presque ma présence.

— Je parie que c'est Sébastien Lévis! lâche Alex, qui a fini par retrouver sa bonne humeur. Il ne quitte pas Émy-Lee des yeux pendant le cours de maths.

— Ouache! J'espère que non! intervient Clémence. Il a les cheveux tellement sales! On dirait qu'il n'a pas pris de douche depuis des semaines!

— Émy-Lee ne peut pas sortir avec lui, renchérit Thierry. Il ne change presque jamais de t-shirt.

— C'est peut-être Antoine, alors, propose Alex.

— Antoine Letendre?

— Oui. Je ne sais pas si vous avez remarqué, mais il s'assoit toujours à la table à côté de nous, à la café.

— C'est vrai, ça! valide Clémence. Peut-être qu'il veut se rapprocher d'Émy-Lee sans attirer l'attention.

Bon! Je dois mettre un terme à tout ça. À les entendre parler, tous les gars de l'école sont amoureux de moi.

— Ben oui, ben oui…, dis-je pour les faire taire. Sébastien Lévis, Antoine Letendre, et pourquoi pas Thierry, un coup parti?

Thierry relève la tête d'un mouvement brusque et bafouille:

— Hein? Quoi? Moi? Non… je ne… Non!

Il est trop drôle!

— C'est une blague, voyons! lui dis-je en ricanant. Tu ne peux quand même pas être mon admirateur secret.

— Pourquoi pas? demande Alex, le plus sérieusement du monde.

— Euh… Pourquoi pas quoi?

— Pourquoi il ne pourrait pas être ton admirateur secret?

— Ben… Parce que…

Je suis prise au dépourvu. Je regarde à gauche et à droite. Clémence est aussi surprise que moi. Thierry a le visage plus rouge qu'une flaque de jus de tomate. Un immense malaise vient de s'installer dans la chambre. J'explique, embarrassée:

— Parce que c'est mon ami.

— Et alors? Tu crois qu'on ne peut pas tomber amoureux de nos amis?

— Euh…

— Arrête, Alex…, supplie Thierry, d'une toute petite voix.

Je dois changer de sujet, et vite! En aucun cas je n'ai envie que Thierry soit mon admirateur, qu'il soit secret ou non!

— J'ai une idée! dis-je en levant une main dans les airs comme si j'étais à l'école. On fait des coups au téléphone!

— Des coups au téléphone? répète Clémence. Pourquoi?

— Pour s'amuser, voyons! Ça va être super drôle!

Et surtout, c'est parfait pour mon plan que voici:

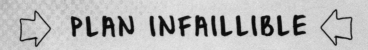

PLAN INFAILLIBLE

1. Je passe le reste de l'après-midi à faire des coups au téléphone.

2. Les gens notent mon numéro sur leur afficheur.

3. Ils appellent à la maison et se plaignent auprès de mes parents.

4. Mes parents se fâchent.

5. Je leur explique que mes amis de la poly ont une très mauvaise influence sur moi.

6. Ils m'envoient au Collège Saint-Vincent-des-Saints pour que je profite d'un meilleur encadrement.

MISSION ACCOMPLIE! MERCI! BONSOIR!

— Moi, j'embarque! me dit aussitôt Alex. J'ai toujours rêvé de faire des coups au téléphone.

— Cool!

Malgré le manque d'enthousiasme des deux autres, Alex et moi parcourons le bottin à la recherche d'un des noms les plus bizarres de la ville. Adam Carrier (À-dent-cariée) ? Non. Mario Nette (Marionnette) ? Pauvre homme ! Andy K.P. (Handicapé) ? Quand même pas !

Au bout d'un moment, on a tellement mal au ventre à force de rire qu'on n'a pas le choix de se décider et de fermer le bottin.

— OK ! dis-je, en essayant de retrouver mon sérieux. J'ai décidé. Je vais appeler Robert Robert.

J'ai le cœur qui bat si vite que j'ai l'impression que ma poitrine va exploser et répandre des bouts de chair sanguinolente aux quatre coins de ma chambre. J'exagère à peine. Je suis loin d'être une experte dans le domaine de la délinquance, alors ça me stresse plus que je voudrais le laisser croire.

— Qu'est-ce que tu vas lui dire ? s'enquiert Alex.

— Je ne sais pas. Je vais improviser. Bon… son numéro est…

— Attends ! m'interrompt Thierry, en posant la main sur le combiné.

— Quoi ?

— Tu allais composer sans bloquer l'appel.

— Et ?

— Ben là ! Tu veux que Robert Robert sache que c'est toi qui l'as niaisé au bout du fil ?

C'est un peu le but de l'exercice, oui. Mais bon, ça, je ne peux évidemment pas le dire.

— Donne-moi ça.

Thierry m'arrache le combiné des mains et appuie sur quelques chiffres. Puis, il consulte l'annuaire et compose le numéro de monsieur Robert avant de me redonner l'appareil.

— Tiens. Ça sonne. J'ai mis le haut-parleur.

La sonnerie se fait entendre deux fois, puis :

— Allo ?

Torbinouche ! Ça y est ! Qu'est-ce que je vais lui dire ? Mon cœur va lâcher !

— Allo ? insiste la voix de l'homme.

Clémence me donne un coup de coude pour me faire réagir. Je me racle la gorge et me lance :

— Oui, bonjour. Est-ce que je peux parler à monsieur Robert Robert, s'il vous plaît ?

— Lui-même.

— Euh… bonjour, monsieur Robert. Mon nom est Tamara Bélair et je travaille au Géant de l'électroménager.

Je sais, ce n'est pas super, mais c'est la première chose qui me passe par la tête. Je continue :

— Connaissez-vous notre magasin ?

— Bien sûr.

— J'ai le plaisir de vous annoncer que vous êtes le gagnant de notre grand concours! Vous avez remporté un ensemble de cinéma maison.

C'est bon ça! Je me débrouille plutôt bien, je trouve.

— Pour vrai? s'étonne monsieur Robert. C'est étrange, je ne participe jamais aux concours.

— Non? Euh… C'est normal. Vous êtes admissible dès que vous faites un achat. Votre nom entre directement dans notre système.

— Oui, je comprends, mais je n'ai jamais acheté chez vous. Vos prix sont scandaleux, vous vendez beaucoup trop cher.

— Ah.

J'ai envie de vomir, tout à coup. À côté de moi, Alex se tord de rire tandis que Thierry et Clémence serrent les dents en se demandant comment je vais m'en sortir. Décidément, je ne suis pas faite pour ce genre de trucs!

— Bon. Ben… vous avez quand même gagné. Voulez-vous passer en magasin pour récupérer votre prix?

— Je voudrais bien, mais je ne peux pas. Je n'ai pas de véhicule.

Là, je ne sais plus quoi dire. Aidez-moi quelqu'un!

— J'ai perdu mon emploi il y a trois ans, précise monsieur Robert, avec émotion. Vous comprendrez que je n'ai pas les moyens de me payer une voiture.

— Pauvre vous…

— J'habite dans un misérable appartement et je survis grâce aux dons du comptoir alimentaire. Sans eux, je serais mort depuis longtemps.

J'ai envie de pleurer tant cet homme me fait pitié. Personne ne devrait vivre dans la pauvreté. Je dois trouver un moyen pour lui venir en aide.

— Peut-être qu'on pourrait s'arranger pour vous livrer votre cinéma maison à domicile, qu'est-ce que vous en dites ?

Alex me regarde avec des yeux ronds et pouffe de rire. Quoi ? Il n'y a pas de mal à aider les plus démunis, non ? Je suis sûre que mes parents seraient d'accord pour rendre service à cet homme.

— Je veux bien, répond mon interlocuteur, la voix chargée d'émotion, mais je ne vois pas à quoi pourrait me servir un cinéma maison. On m'a coupé l'électricité la semaine dernière.

Là, je suis révoltée !

— Pour vrai ? Mais c'est terrible !

— Oui, je sais. La vie est ainsi faite. Elle s'acharne sur les pauvres gens.

— Je suis sincèrement désolée pour vous. S'il y a quelque chose que je peux faire pour…

Thierry s'empare du combiné et raccroche aussitôt. Je lui fais les gros yeux.

— Hé ! Tu n'es pas gêné ! Qu'est-ce qui te prend ?

— Je ne pouvais pas le laisser te ridiculiser sans rien faire, annonce-t-il t'un ton ferme.

— Me ridiculiser ? Pourquoi tu dis ça ? Il ne me ridiculisait pas du tout !

— Allume, Émy-Lee ! rigole Alex. Il t'a eue à cent milles à l'heure !

Je croise les bras et je lui fais une grimace, fâchée de ne pas avoir pu terminer mon appel. Puis, peu à peu, je redescends les pieds sur terre. Un peu honteuse, je comprends que je me suis fait prendre à mon propre jeu. J'étais prête à livrer moi-même un prix (qui n'a jamais existé) à un homme soi-disant archi pauvre (mais qui parle au téléphone malgré le fait qu'il n'a plus d'électricité).

BRA-VO !

Je me cache le visage entre les mains et j'éclate de rire.

CONCLUSION DE L'EXERCICE : je suis la pire délinquante téléphonique au monde.

167

Émy, je n'y comprends rien !
Je suis trop nulle !

Il faut absolument que tu m'expliques les règles avant mon premier cours, stp !!!

Quelles règles, Nad ? Celles de « Comment envoyer un texto de façon efficace et civilisée ? » Premièrement, il faut commencer par dire bonjour.

Ensuite, on précise le sujet de la discussion parce que là, je ne sais pas du tout de quoi tu parles !

DU SCRABBLE !!!

Ah ! Le scrabble ! Ce n'est pas difficile, tu vas voir ! Tu dois former des mots à partir de lettres de valeurs différentes sur des cases de couleur qui multiplient la valeur des lettres ou des mots. Évidemment, tu dois essayer de trouver le mot le plus rémunérateur selon les lettres qui sont dans ton jeu. Tu vois ? Je te l'avais dit, c'est super simple !

Bon, peut-être, en fait... NON, je ne saisis pas plus ce que tu m'expliques !!!

C'est donc bien compliqué, ce jeu-là!
Et je ne comprendrai jamais ceux qui
s'y intéressent! JAMAIS!

Même pas un certain beau gars? Tu sais,
celui dont tu ne veux jamais parler?

Comment il s'appelle, déjà?

Moi Pas Savoir De Quoi Toi Parler...

Tu fais encore l'autruche. Décidément,
c'est une habitude, chez toi!

OK, OK... Mais sérieux, peux-tu quand
même me suggérer quelques mots difficiles, pour que je ne vive pas constamment
des défaites humiliantes? Peut-être qu'on
pourrait se voir, cette semaine? Oh, tu dois
avoir ça, chez toi, un dictionnaire pour les
mots de scrabble?

Pas besoin de dictionnaire, j'ai tout ça dans
ma petite tête. Le truc, c'est d'intégrer des
lettres payantes (k, w, x, y, z) dans des mots
faciles à retenir. Voici quelques exemples:
Bekes, Gecko, Harka, Ikats, Kabye, Kifez,
Dewar, Wurms... En veux-tu en v'là!

Oublie ça, tu me mêles plus qu'autre chose…

Je pense vraiment à tout laisser tomber… Je ne sais pas si j'ai le droit, mais je vais aller m'informer. Je ne perds rien à poser la question.

Et toi, comment ça se passe ? J'ai l'impression que tu ne me racontes plus rien sur ta vie…

Bah… Pas grand-chose de nouveau. La gang est venue à la maison, samedi. C'était cool. Apparemment, selon une application hautement sophistiquée (trop de lettres pour le scrabble, dommage, c'est un beau mot), j'aurais un admirateur secret. Je trouve ça assez drôle !

Mais je SAIS de qui il s'agit, moi ! Du beau Maax… (Beau, c'est selon les goûts, hein !)

C'est vrai que je ne peux pas m'empêcher de me dire que c'est peut-être Maax, mais Alex a l'air de penser que c'est Thierry. Brrr ! Juste à l'idée qu'il puisse avoir un *kick* sur moi, j'en ai des frissons dans le dos.

Je te comprends !

Bon ! Je dois te laisser ! C'est bien le fun de se texter le matin, mais là, je dois me préparer pour l'école.

10

NADEIGE

Ce week-end, pas moyen de me la couler douce ou tout simplement de voir Émy-Lee. Non! Il a fallu que je fasse des tonnes et des tonnes de devoirs. Tout mon samedi y est passé. Une chance, Delphine est venue m'aider en après-midi. (Finalement, elle est super bonne dans presque toutes les matières, sauf en géo où là, on est archi poches toutes les deux!)

Dimanche, après la messe où mes parents me forcent à les accompagner (NON, je ne dirai rien à ce propos...), j'aurais bien accordé une petite pause à mon cerveau, mais il me restait encore de l'étude à faire. OK, là, il me faut l'avis de quelqu'un : trouvez-vous ça normal d'avoir DÉJÀ des examens, après si peu de temps? ON EST ENCORE EN SEPTEMBRE! C'est de la torture! Je suis pas mal certaine qu'ils sont en train d'essayer une nouvelle technique d'apprentissage. Et nous, pauvres élèves, sommes les cobayes de ces expérimentations totalement démentes!

Bref, pas le temps de jaser avec ma *best*. Pas le temps de la voir. À peine l'énergie nécessaire pour me traîner au salon et regarder les émissions plates du dimanche, après mes longues heures d'étude... En plus, j'ai commencé à angoisser. À me demander pourquoi Émy-Lee n'avait pas plus insisté que ça pour qu'on se voie. Pourquoi elle n'avait pas l'air si déçue. Pourquoi... Est-ce que c'est parce qu'elle commence à s'habituer à mon absence? Parce qu'elle a déjà des tonnes d'autres amis avec qui passer du temps? Il y avait déjà cette Clémence et sa gang qui tournaient autour de ma BFF dès que j'avais le dos tourné... C'est clair qu'ils ont le champ libre, désormais, pour lui mettre le grappin dessus et lui faire oublier jusqu'à mon existence!

Je suis encore en train de paniquer, alors j'utilise mes techniques de relaxation, tout comme je le fais avant de sauter dans la piscine lors d'une course contre un autre nageur. Inspire. Expire. Inspire. Expire...

Une chance qu'Émy-Lee et moi, on a quand même eu le temps de dresser une liste de tous les mots compliqués que je pourrais tenter d'utiliser pour ma délirante activité de scrabble! (Délirante dans le sens de total débile, OK?)

Le seul hic, c'est qu'il n'y a rien à faire, je ne comprends pas ce jeu et je vais très certainement passer pour une poire... Et aujourd'hui, lundi

(*retour en classe, grrr...*), j'ai justement ma première rencontre avec les autres amateurs de ce
jeu (*100 % ennuyant !*) sur l'heure du dîner.

Il est exactement onze heures cinquante-
cinq. Le cours d'anglais se termine dans vingt
minutes. Il me reste donc très peu de temps pour
soudainement devenir un génie ! Et d'abord, qui
peut m'expliquer pourquoi ce jeu a été inventé ? Je
n'arrive pas à saisir ce que je dois faire et quelles
sont les règles. Hier, j'ai fouillé dans le grenier
et j'ai déniché une vieille boîte poussiéreuse de
scrabble que j'ai apportée au salon. Dès que mon
père m'a aperçue avec le jeu dans les mains, il
était excité comme un chiot (*non mais, comment*
peut-on être excité par un jeu qui ne comprend
que des petites lettres et un plateau ?) et il m'a
aussitôt proposé de faire une partie avec lui.

Il a sorti tout le matériel et ma mère est
venue nous rejoindre. Elle aussi, elle sautillait
de joie. Je les ai observés un instant et, sérieux,
ils étaient pa-thé-ti-ques... J'avais même un
peu honte pour eux. Toute cette histoire m'a
mise en colère et je suis sortie de la pièce en cla-
quant la porte. OK, il n'y a pas de porte dans le
salon, donc personne ne s'est réellement rendu
compte de mon départ. Et pendant que je faisais
des paniers dans la cour, mes parents ont joué

une première, une deuxième, une troisième partie... En fin de compte, ils ont joué TOUTE la soirée et je les soupçonne même d'avoir continué un peu pendant la nuit. Qu'est-ce que je disais, déjà ? Ah oui... pa-thé-ti-ques...

Mais présentement, alors que je regarde la grande aiguille défiler à toute vitesse sur l'horloge de la classe, je me dis que j'aurais mieux fait de jouer avec eux. Au moins une partie, en tout cas. Bon, j'aurais été pathétique à mon tour, mais j'aurais su à quoi servent ces petites cases, et toutes ces lettres, et ce plateau, et... Je sens que je recommence à paniquer.

Inspire. Expire...

La cloche sonne avant que j'aie eu le temps de me calmer complètement. Je dois avoir l'air d'une idiote, avec mon truc pour respirer, sauf que, mine de rien, ça fait vraiment du bien. J'ai tendance à souffrir d'anxiété, moi. Sans raison. OK, peut-être que j'ai mes raisons, mais elles sont souvent un peu ridicules. En fait, je me mets à songer à des tas de trucs, quand je ne peux pas bouger et faire du sport (comme en ce moment, en classe) et c'est de cette façon que mes moments d'angoisse commencent. Quand je me sens coincée. Dans une autre vie (genre en tant que femme de Néandertal), je devais être une chasseuse, c'est clair! Pas question que je reste avec les autres femmes du clan à dessiner sur les murs ou à tresser des paniers en osier. Et je suis certaine que j'ai tué des tas de mammouths! C'est peut-être même la raison pour laquelle j'aime autant les éléphants…

Bon, je m'égare encore une fois et je sens que le prof se demande pourquoi je ne suis pas sortie en courant de son cours après la sonnerie (comme à mon habitude…). Je ramasse à la va-vite mes cahiers et me glisse entre les pupitres jusqu'à la porte avant. Puisqu'il me regarde encore drôlement, je lui envoie un «*Good morning!*» bien senti (avant de me rappeler que le matin est pas mal fini…) et je sors du local, direction la cafétéria. Delphine m'y attend pour qu'on cherche une nouvelle façon de me faire mettre dehors de l'école, puisque mon rôle d'intimidatrice a été de très courte durée.

Ensuite, il me faudra me présenter au local réservé pour l'équipe de scrabble. J'ai si hâte que je gambade dans le couloir… (NON!)

J'aimerais dire que j'ai trouvé le moyen de me sauver de mon activité parascolaire, mais une femme passe aux rayons X la cafétéria avec ses yeux, s'arrête sur moi et me fixe durant une bonne minute sans battre des cils. Moi qui ne suis pas du genre impressionnable, cette fois, j'avoue que je commence à me sentir visée… et légèrement intimidée.

Le sosie de RoboCop avance dans notre direction et s'arrête à notre table pour demander :

— Nadeige Leblanc, c'est toi ?

Je lève lentement la tête vers elle et acquiesce.

— Pourquoi tu n'es pas à ton activité ? Les autres t'attendent. Dépêche-toi, ou je devrai le noter à ton dossier. Et te donner six points.

— C'est bon, j'y allais. Je voulais juste finir mon lunch, dis-je en ronchonnant.

— Dépêche-toi, c'est au local B-123, tu es déjà en retard.

Puis, elle tourne les talons et marche d'un pas saccadé, ce qui me confirme qu'elle est sûrement le fruit d'une relation entre un robot et un humain… Je me penche vers Delphine pour m'en assurer.

— C'est qui, elle ? Et c'est quoi, cette histoire de points ?

— C'est la surveillante en chef, madame Pion. Faut faire gaffe avec elle, elle est du genre hyper sévère.

— J'avais remarqué… et les points ? Je vais gagner quelque chose, à la fin ?

— Pantoute ! C'est tout le contraire. Si tu accumules six points, tu as une retenue. Douze points, c'est aussi retenue, mais la fin de semaine ! Et je t'assure, ça grimpe vite ! Un simple devoir oublié et ils te donnent quatre points. Je te le dis, ici, ils sont hyper sévères !

Une idée surgit alors dans ma tête et je m'empresse de demander son avis à Delphine.

— Après combien de points on peut être renvoyé, tu crois ?

— Au moins cinquante. Mais ça ne marche pas comme ça. Les points s'effacent à la fin de chaque semaine. Il faudrait vraiment que tu en fasses des tonnes pour te retrouver avec autant de points à ton dossier !

— Hum… c'est ce qu'on va voir… D'abord, je vais commencer par rater mon cours de scrabble. C'est un bon début, tu ne trouves pas ?

— Mais tu vas avoir une retenue…, insiste Delphine.

Je hausse les épaules au moment où la femme-robot se pointe de nouveau dans la cafétéria. OK, ma semi-rébellion sera pour un autre jour. Je ne sais pas pourquoi cette femme me donne des frissons de la sorte, mais je n'ai pas le goût de me faire prendre par elle à rater mon activité. Je soupire donc et me lève. Mais ils devront m'accepter comme je suis, c'est-à-dire avec mon repas. Après tout, il est hors de question que je ne le termine pas simplement pour aller jouer avec des petites lettres !

Madame Pion fait un pas dans ma direction et je me sauve à toute vitesse vers le local où on m'attend. Je l'entends à peine me dire qu'il ne faut pas courir dans l'école et qu'elle va m'ajouter des points. Qu'elle m'en donne, je les collectionne !

En moins de deux minutes, je trouve le lieu sacré où les adeptes de scrabble se retrouvent pour danser sous la lune, invoquer les esprits et faire des sacrifices humains. Je serai sans doute leur première victime… Je pousse la porte et une dizaine de têtes se tournent dans ma direction. Je reconnais tout de suite Sasha, qui semble soulagé de me voir arriver et me fait un clin d'œil. Pour les autres, il s'agit de jeunes que je ne connais pas du tout, mais que j'ai si hâte de rencontrer que je m'apprête à chanter mon allégresse… OK, plus moyen de faire des blagues ?

Une dame aux cheveux grisonnants fronce les sourcils en m'apercevant et me pointe une chaise libre, pas trop loin de Sasha. Génial… Je prends place plutôt bruyamment (mais quoi, elles font un bruit d'enfer, ces chaises, quand on les racle sur le plancher!) et fais sortir l'air de mes joues non moins silencieusement. Je reçois les regards courroucés (merci, Émy-Lee, pour ce joli mot) des autres avec un sourire désabusé.

Ils peuvent bien me détester et se demander ce que je fiche ici, ils ne sont pas les seuls. Je ne sais pas ce que je donnerais pour être avec ma *best*, en ce moment, et non dans ce local, entourée d'idiots à lunettes!

La prof, qui veut qu'on l'appelle par son prénom (Marguerite), nous parle de sa passion pour ce jeu, de la façon dont elle l'a découvert quand elle avait notre âge et de toutes les soirées captivantes qu'elle a passées à y jouer. Je sens mes yeux commencer à se fermer doucement. Elle continue à nous dévoiler les concours auxquels elle a participé, les trophées qu'elle a réussi à gagner, à la sueur de son front, et ceux qu'elle a perdus, dans la rage et les larmes. Ça y est, je me suis endormie. Je dois même être en train de ronfler, car je reçois un coup de coude plutôt brutal qui me ramène sur terre.

— Aïe! C'est quoi ton problème? dis-je à Sasha à voix basse, car c'est évidemment lui qui m'a frappée.

— Tu étais à deux doigts de te mettre à baver. Je n'avais pas le choix…, réplique-t-il, sourire en coin.

— Pas ma faute. C'est trop intéressant, ce qu'elle raconte.

— Mais alors, pourquoi tu t'es inscrite?

— Je croyais que tu étais dans la file pour l'équipe de basketball, étant donné que tu joues tout le temps…

— Tu as remarqué que je jouais tout le temps?

— NON!

Je dois avoir parlé trop fort, car Marguerite cesse (*enfin!*) son incroyable et ensorcelant discours pour nous regarder. Je pointe Sasha du doigt pour montrer que tout est de sa faute et elle soupire en le fixant. Dès qu'elle se remet à parler, il me pince la taille en signe de représailles.

— Hé! Ce n'est pas correct, ça, me glisse-t-il à l'oreille, tandis que je repousse sa main.

Je ne me préoccupe plus de lui et songe un instant à retourner dans le monde des rêves, mais notre professeur pose une pile de boîtes sur la table centrale. Elle nous demande de choisir un adversaire et de venir prendre un jeu. Je voudrais bien jouer contre Sasha (le seul que je connaisse ici), mais il secoue la tête et m'indique qu'il est déjà avec quelqu'un. Lorsqu'il passe à côté de moi pour aller se chercher une boîte, il ajoute même :

— Je serais beaucoup trop fort pour toi, de toute façon.

Pas cool. Mais pas faux non plus. En fin de compte, je me retrouve toute seule. Ça fait bien mon affaire. Pendant toute l'heure qui suit, je fais semblant de m'intéresser à mon plateau, mais je me morfonds plutôt en silence. Sasha me jette quelques coups d'œil et ne semble pas de bonne humeur. Il doit être en train de perdre. Tant pis pour lui.

Je voudrais être ailleurs. Je voudrais être avec Émy-Lee. Je sens que des larmes se forment dans mes yeux. Je les retiens de toutes mes forces, mais c'est de plus en plus difficile. Alors je me penche, pour faire semblant que j'ai échappé une pièce par terre, et en profite pour me frotter les paupières. En effacer toutes traces de pleurs. Lorsque je me relève, Sasha me fixe toujours. Je voudrais qu'il regarde ailleurs. Qu'il me laisse tranquille. Que tout le monde me fiche la paix !

Sans pouvoir me retenir, je me relève et sors en vitesse du local. Il ne reste que dix minutes à l'activité et Marguerite peut bien aller se plaindre à madame Pion ! J'ai besoin de bouger, moi. Pas de rester assise à repenser à ma *best* qui est trop loin.

Et je termine ma course dans les toilettes. Où je peux enfin pleurer comme je le veux…

À : Nad@coolmail.com
De : Emy-Lee_Samson@coolmail.com
Objet : Je m'ennuie de toi !

Coucou ! J'avais juste envie de te souhaiter une belle journée. Je n'aurai pas le temps de t'appeler ce soir (encore un entraînement !), et après, je dois absolument étudier pour mon premier examen de sciences.

Elle est trop nulle, cette année scolaire !

Faut vraiment qu'on trouve le moyen de se voir plus souvent.

Émy-Lee
(Qui aimerait avoir une machine à remonter le temps pour recommencer son secondaire un avec sa *best*)

À : Emy-Lee_Samson@coolmail.com
De : Nad@coolmail.com
Objet : RE : Je m'ennuie de toi !

Et moi donc ! Comme prévu, mon cours de scrabble était à mettre dans le panthéon (merci de m'avoir appris ce mot) des moments les plus désagréables de ma vie. Mais je ne peux pas annuler mon inscription… Alors je préfère ne plus y penser.

Je suis total déprimée. Et le fait de savoir que tu l'es aussi ne me met pas de meilleure humeur, tu sais…

Nad
Ta *best* (qui ne remportera jamais de trophée au scrabble, c'est certain !)

11

ÉMY-LEE

Je déprime un peu, ces jours-ci.

Je n'ai envie de rien. Si je m'écoutais, je passerais mes journées allongée sur mon lit à écouter de la musique, à regarder des émissions à la télé et à lire des centaines de livres. J'adore la lecture parce qu'au moins, dans les livres, la fin est souvent heureuse. (Ce qui est loin d'être le cas de ma propre vie !)

Tout va de travers. Si je le pouvais, je réécrirais ma propre histoire. Elle serait remplie de belles choses, ça, c'est certain. Je n'aurais qu'à effacer le collège, Sasha, la greluche, l'athlétisme, le scrabble, mes nouveaux amis, et même Maax... pour les remplacer par Nad. Simple, non ?

Quoique... Ça serait peut-être un peu plus compliqué que ça. La liste des choses qui dérapent dans ma vie est presque infinie.

• Toutes mes tentatives pour convaincre mes parents de m'envoyer au collège ont échoué lamentablement.

187

• Je m'ennuie de Nad. Elle est de plus en plus distante avec moi et j'ai peur qu'elle me remplace par ses nouveaux amis. Si ça se trouve, ils sont plus beaux, plus intelligents, plus grands et plus cools que moi.

• Mon fameux « admirateur secret » ne s'est pas encore manifesté. Qu'est-ce qu'il attend? Une partie de moi me dit que je devrais oublier cette stupide application et me concentrer sur des sujets beaucoup plus sérieux que des amours impossibles, mais ça me trotte dans la tête sans arrêt. Qui est-il? Que me trouve-t-il? Où se cache-t-il?

• Je pense que Maxime-Alexandre sort avec Juliette, une fille dans mon cours d'édu, et ça me fait suer royalement. Je sais que j'ai dit que je devais oublier les amours impossibles, mais Maax est partout autour de moi: dans mon cours d'anglais, aux entraînements d'athlétisme et... Euh... C'est tout. Bon, j'avoue qu'il n'est pas partout, mais il hante mes pensées, ces jours-ci. Si j'aimais la soupe, je suis certaine que je le verrais dedans.

• Pour mettre la pépite de chocolat par-dessus la cerise sur le gâteau: ma mère vient me voir à mes entraînements dès qu'elle a une minute de libre. Elle n'arrête pas de me dire à quel point elle est fière de mes progrès, de mon courage et de ma persévérance, alors je me vois mal quitter l'athlétisme maintenant.

Une fois tous mes malheurs résumés, on comprend pourquoi je suis déprimée, non?

En ce moment, tout le club est rassemblé sur la piste pour un autre « palpitant » entraînement. Il pleut, il vente et il fait super froid. Tiens, je devrais l'ajouter à ma liste!

• Température de chnoute!

Je demande à Alicia, notre entraîneuse, si on s'entraîne à l'intérieur et elle me rit au nez.

— À l'intérieur? Tu te moques de moi?

— Non. Pourquoi?

— Je ne veux pas bousculer ton petit confort, princesse, mais tu vas devoir t'habituer au froid.

J'entends des rires autour de moi. J'ai envie de crier haut et fort que je n'ai rien d'une princesse, mais je pince les lèvres et je ravale ma fierté. Je ne veux pas faire de vague. Et surtout, je ne veux pas avoir l'air d'une enfant capricieuse. Talia et Gaby s'approchent de moi, heureuses que je leur aie fourni un prétexte pour m'humilier une fois de plus.

— On s'entraîne dehors jusqu'à ce que la piste soit couverte de neige, m'informe Tania, l'air méprisant. Faudrait que tu penses à t'acheter des vêtements un peu plus chauds… si tu en as les moyens !

Nouveaux éclats de rire.

— Faites quelques tours de piste pour vous échauffer, commande Alicia, de son habituel ton autoritaire. On fera des étirements par la suite.

Pourquoi est-ce que je m'entête à rester dans ce groupe ? C'est clair que rien ne me rend heureuse, parmi eux. Rien, mis à part…

— Ne t'en fais pas, me souffle Maxime-Alexandre, dès que mes pas foulent la piste. Tu finiras par t'habituer.

— À quoi ? Au froid ou à leur méchanceté ?

— Aux deux, si tu es chanceuse.

Un sourire apparaît au coin de ses lèvres. Je lui souris à mon tour. On dirait qu'il fait un peu plus chaud, tout à coup.

— Je veux bien, mais je n'aurai pas le temps de m'habituer à quoi que ce soit si je meurs d'une pneumonie, lui dis-je, sans cesser de courir.

— Je peux te prêter ma veste, si tu veux.

— C'est gentil…

Oui, VRAIMENT très gentil! Je rêve de sentir l'odeur de ses vêtements contre ma peau.

— … mais là, c'est toi qui vas geler si tu n'es pas assez habillé.

— Bah! J'ai un t-shirt et un survêtement, me rassure Maax. Ça devrait aller, je suis fait fort.

— Ben là! Moi aussi!

— Toi? rigole-t-il. Tu es si petite que tu pourrais casser en deux si le vent se levait!

Mon sourire disparaît et j'accélère, contrariée.

— Hé!

Maxime-Alexandre me prend par le bras et me force à ralentir.

— Qu'est-ce qu'il y a? Est-ce que j'ai dit quelque chose qui…

— Tu te trompes si tu penses que je vais accepter de mettre cette veste! Je ne suis pas une petite chose faible et fragile!

— Euh… Ce n'est pas ce que je voulais dire.

— C'est pourtant ce que tu viens de faire!

— Voyons, Émy-Lee! Je suis de ton côté, tu le sais bien.

— De mon côté?

Là, je crois que je vais exploser. Je suis à la fois si triste et si fâchée que j'arrive à peine à me reconnaître. Ça se peut, ressentir toutes ces émotions en même temps?

— Si tu étais vraiment de mon côté, lui dis-je, la voix tremblotante, tu ne laisserais pas ces idiotes me traiter de cette façon.

— Tu veux que je les remette à leur place ? me propose Maax.

— Non !

— Ce n'est pas un problème pour moi, tu sais. Ça va me faire plaisir.

— Ne t'en mêle surtout pas ! Tu pourrais tout gâcher.

— OK. C'est comme tu veux.

On court côte à côte sans un mot. J'entends sa respiration. Elle est rapide, mais régulière. La mienne… La mienne est sifflante et saccadée. Je crois que mon corps ne s'habituera jamais à tout cet exercice. Ce n'est pas naturel, chez moi.

— Tu es difficile à suivre. Tu le sais, ça ? me dit Maxime-Alexandre après quelques pas de plus.

— Quoi ? Je vais trop vite pour toi ?

— Arrête, tu vois très bien ce que je veux dire.

Il a raison. Je ne peux pas lui reprocher de ne pas lever le petit doigt pour moi et ensuite lui interdire d'agir.

— Je ne suis pas un modèle de cohérence, hein ?

— Pas vraiment, non.

— Je sais. Je suis désolée.

Je prends une grande inspiration. Soudain, j'ai envie de tout lui raconter. Tout. Dans les moindres détails. Sans filtre, sans censure.

J'aimerais lui parler de mon plan pour rejoindre Nadeige dans son école. De mes idées complètement folles, de mes maladresses, de mes craintes, de mes espoirs.

Mais à quoi bon? Il ne pourrait rien faire pour m'aider, de toute façon. Nad me répète toujours que les gars ne comprennent rien aux trucs de filles, alors je ne vois pas pourquoi Maxime-Alexandre serait l'exception. Il y a juste une chose que je dois mettre au clair. La gorge serrée, je lui pose la question qui me brûle les lèvres:

— Tu sors avec Juliette, à ce qu'il paraît?

Maax tourne la tête vers moi. Il a l'air franchement surpris.

— Qui t'a dit ça?

— Ce n'est pas un secret. Toute l'école est au courant.

Ce qui, en principe, n'est pas tout à fait vrai. La réalité, c'est que Sophie a entendu dire par sa cousine Rebecca que son amie les avait vus se tenir la main l'autre soir, au cinéma. Pour les infos solides, on repassera!

De toute façon, ma source n'a pas d'importance. Je vais entendre sa réponse d'ici quelques secondes et je vais en avoir le cœur net. Nad a raison. On ne peut pas s'attendre à des explications claires si on ne se donne pas la peine de demander. Je devrais essayer de faire ça plus souvent.

— Alors, vous sortez ensemble ou pas ?

Je ne comprends pas la réaction de Maax. Il continue d'avancer, les lèvres pincées, sans même me jeter un coup d'œil. J'attends le moment où il va me dire qu'il ne veut rien savoir de Juliette.

— On peut dire ça, oui, m'avoue-t-il finalement.

— On peut dire quoi ?

— Ben… On sort ensemble.

Ce qui se présentait comme une simple rumeur s'avère en fait la vérité. Torbinouche !

Je sens mes jambes s'alourdir. Ma déception est telle que je ne vois pas comment je vais la surmonter alors que Maxime-Alexandre court à mes côtés. Je pourrais m'enfuir loin d'ici, mais j'ai peur que cette réaction révèle en moi un certain manque de maturité. Je n'ai vraiment pas besoin de ça pour l'instant.

Je ne connais pas grand-chose à l'amour, mais un détail m'agace :

— En temps normal, c'est le genre de nouvelle qui est censée te rendre heureux, non?

— Oui, oui.

— Ben là! Souris un peu, on dirait que ton chien vient de mourir!

Maax m'explique, l'air un peu blasé:

— Ce n'est pas si simple. Depuis la rentrée, Juliette fait tout pour que j'accepte de sortir avec elle. Elle me texte, elle laisse des messages sur mon casier... On dirait qu'elle est obsédée par moi. Je ne sais pas pourquoi, d'ailleurs. Je n'ai rien fait pour ça.

Ce que Maxime-Alexandre ne sait pas, c'est qu'il n'a pas besoin de faire quoi que ce soit pour que les filles soient obsédées par lui. Il n'a qu'à continuer à faire ce qu'il fait en temps normal. Être lui-même. Tout simplement.

Je suis curieuse, cependant:

— Tu n'as rien fait pour qu'elle te laisse tranquille?

— Bof... Au début, oui, mais au bout d'un moment, j'ai fini par me fatiguer. J'ai accepté de sortir avec elle pour lui faire plaisir.

— Dis-moi que c'est une blague! Tu n'as donc pas de fierté?

Sur le moment, ma remarque paraît le blesser, mais il me répond, un sourcil levé:

— Je n'aime pas faire de la peine aux autres, ce n'est pas pareil.

— Voyons! Tu la laisses te manipuler!

— Ben non, justement. Pas tout à fait…

— Qu'est-ce que tu veux dire?

— Je fais tout ce que je peux pour être le pire chum de tous les temps. Elle se rendra vite compte que je ne suis pas si extraordinaire que ça et que je ne vaux pas la peine qu'elle se batte pour me garder.

— Ah.

Je ne peux m'empêcher d'être déçue. Maax pourrait faire preuve d'un peu plus de cran. En même temps, je ne peux pas lui reprocher d'opter pour la situation la plus facile. Il ne veut pas affronter Juliette. Il ne veut pas lui faire de peine. Je suis un peu comme ça, moi aussi. On se ressemble plus que je le croyais, finalement.

— Hé! J'ai une idée! lâche-t-il, un immense sourire sur les lèvres. On pourrait faire semblant de bien s'entendre pour rendre Juliette jalouse.

— Ben… Je croyais qu'on s'entendait bien pour vrai.

— Oui, mais on pourrait aller un peu plus loin!

— Je ne suis pas sûre de comprendre.

— On pourrait passer du temps ensemble, sortir, aller au cinéma. Et un jour, elle pourrait nous surprendre pendant qu'on s'embrasse.

— Tu veux qu'on s'embrasse ?

Une lueur d'espoir naît à l'intérieur de mon ventre. C'est étrange comme il fait chaud, tout à coup.

— Oui, mais pas pour vrai, quand même ! Je veux juste qu'elle pense que je m'intéresse à toi et qu'elle me laisse tomber. Comme ça, je n'aurais pas besoin de lui dire que c'est fini entre nous.

— Donc, si je comprends bien, tu veux m'utiliser ?

— Ben… Dit comme ça, c'est un peu bizarre, mais oui. C'est à peu près ça le plan.

L'ordre des événements suivants est un peu flou dans ma mémoire. Est-ce que je l'ai giflé en premier ou est-ce que je lui ai d'abord crié qu'il n'était qu'un gros imbécile ? Je ne sais plus. En tout cas, une chose est sûre, ça s'est terminé au moment où j'ai quitté la piste de course en retenant mes larmes et en criant à mon entraîneuse qu'elle ne devait pas compter sur moi pour me présenter aux prochains entraînements.

Est-ce que j'ai l'air d'une tarte, Nad ?
Parce que si c'est le cas, j'aurais aimé
que tu m'en parles avant !

Voyons, Émy ! Bien sûr que non !

Ça n'a vraiment pas l'air d'aller, toi…

Non, ça ne va pas ! Je suis furieuse !
Je ne trouve pas les mots tellement je suis
furieuse ! L'athlétisme et moi, c'est fini.
FI-NI ! On n'est vraiment pas faits
pour s'entendre.

Ben là ! Sois plus claire !

Parce que même si j'ai été un peu surprise,
au début, que tu t'inscrives en athlétisme,
j'ai fini par m'habituer à l'idée de t'imaginer
en train de courir.

C'est à cause de Maax ?

C'est fou comme tu me connais bien !
Tu as tout compris.

Ça concerne un peu (pas mal) Maax.

Tu veux que je m'en occupe ? Sérieux, tu
aimerais ça que j'aille lui rendre une petite
visite surprise ? Tu n'as qu'un mot à dire !

Commence quand même par m'expliquer ce qu'il t'a fait, avant que je déboule chez lui...

Non, ne fais surtout rien... Il n'a pas été méchant (en tout cas, il ne l'a pas fait exprès).

Il a juste cru qu'il pouvait m'utiliser pour casser avec Juliette.

(Oui, oui, il sort bel et bien avec Juliette-le-pot-de-colle. Tu te souviens d'elle ?)

Je ne sais pas ce qu'il lui trouve, mis à part le fait qu'elle est super belle, super grande et... c'est tout... Finalement, elle n'est pas si *hot* que ça !

Moi, je te trouve BIEN plus *hot* que Juliette-le-pot-de-colle !

Aucun doute là-dessus !

Merci, t'es fine ! Ça m'a fait du bien de ventiler un peu. Si tu veux, je t'appelle plus tard pour te conter ça en détail.

Ouiiiii ! Appelle-moi tout de suite ! Je m'ennuie d'entendre ta voix !

Non, pas maintenant, désolée. La gang est là et ma mère a insisté pour les garder à souper. Tu sais comment elle est! Elle est tellement contente que je me sois fait de nouveaux amis. On se voit demain?

Ah... Ben non, demain, ce n'est pas possible.

J'ai comme une... comment dire... une retenue, ouin...

Comment ça, une retenue? Qu'est-ce que tu as encore fait?

Une ridicule raison impliquant des devoirs non remis, quelques impolitesses (mais tsé, traiter son prof de grenouille, je ne trouve pas que ce soit vraaaaiment impoli!) et un retard ou deux... Des détails, tu vois!

Je t'en reparlerai après ma retenue.

Bonne chance pour demain. Je vais penser à toi!

Bonne soirée! xx

12

NADEIGE

MA *best* qui passe plus de temps avec des INCONNUS qu'avec moi! C'est le bout de la... (NON, je n'ai pas dit de mauvais mot, maman ne le permettrait jamais! En plus, ce n'est même pas un mot qui me donnerait beaucoup de points au scrabble...) Parlant de points, toujours pas moyen d'en avoir assez pour me faire virer vite fait de ce collège pour aller rejoindre Émy-Lee et donner une bonne raclée à ses nouveaux amis qui essaient de voler ma place dans son cœur!

Je n'ai réussi qu'à avoir quinze points! Je n'ai rien eu pour mon départ précipité à l'activité de scrabble (sauf que madame Pion est venue me dire que si je recommençais, elle devrait sévir...). Mais le lendemain, même si j'avais fait mes devoirs durant la fin de semaine, j'ai fait comme si je les avais oubliés. Un beau six points d'un coup. Mercredi, je me suis arrangée pour me faire prendre à courir dans le corridor par la femme-robot. Deux points de plus. J'ai arraché de peine et de misère quatre points au prof de géo pour insolence (mais ça n'a pas été facile, parce qu'il est loin d'être susceptible, celui-là ! Il a fallu que je dise le mot « grenouille » pour qu'enfin il réagisse...). Et finalement, un minable trois points parce que je mâchais de la gomme durant la récré. (Le pire, c'est que cette fois-là, je n'ai même pas fait exprès, je ne connaissais juste pas ce règlement...)

Donc, je ne me suis pas du tout fait renvoyer du collège, mais je dois maintenant me rendre à une retenue aujourd'hui, un samedi ! Grrr... Avoir su, je me serais abstenue d'obtenir autant de points ! En plus, mes parents n'étaient pas contents du tout, car ils avaient prévu d'aller aux pommes, ce week-end, et ils voulaient me faire la surprise d'inviter Émy-Lee. Je vais d'ailleurs écrire à celle-ci, à mon retour de ma retenue, pour le lui dire. Elle ne sera pas contente, je le sens...

Je suis donc doublement punie pour avoir mal agi. C'est décidé, je n'essaierai plus de me faire renvoyer en accumulant des points, car ça ne fonctionne pas du tout ! Je vais devoir trouver une autre solution.

Mon père me dépose devant le portail de l'école, le visage dur. Il se tourne vers moi, avant de me laisser descendre.

— J'espère que tu as compris que ce n'est pas un comportement acceptable, Nadeige. Ta mère et moi, nous savons que tu peux faire beaucoup mieux. Mais si tu as des difficultés à t'organiser, on peut demander à la psychoéducatrice de te rencontrer. Elle est là pour aider les élèves. Tu sais, montrer qu'on a des faiblesses n'est pas une honte. C'est même plutôt courageux...

— Ouais, c'est ça...

— Bon sang, Nadeige! Arrête un peu de ronchonner dès qu'on te parle sérieusement.

— Je ne ronchonne pas, je... je manifeste mon... mon désaccord. C'est mieux?

— On va dire. Allez, je passe te prendre à la fin de ta retenue. C'est bien dommage, en tout cas, on aurait eu du plaisir à revoir Émy-Lee, il me semble que ça fait longtemps qu'elle n'est pas venue à la maison.

Si je lui réponds, je suis bonne pour aller dans ma chambre dès que je mettrai les pieds chez moi. Alors aussi bien me taire que de me mettre à hurler ma frustration. De toute manière, ce n'est pas sa faute si ma *best* et moi, on n'arrive pas à trouver un moment pour se voir... (Non, dans le fond, c'est 100 % la faute de mes parents si je suis coincée dans cette école!)

J'ouvre la portière, les lèvres pincées, et sors de la voiture. Mon père fait demi-tour et me salue une dernière fois, la main à l'extérieur de la fenêtre. Un bruit attire mon attention. Le bruit d'un ballon sur le sol. Si c'est bien celui que je crois...

En effet, en observant autour de moi, je finis par apercevoir le garçon qui est sans arrêt dans mes jambes, on dirait. Sasha... Mais qu'est-ce qu'il fait ici, un samedi matin? Je m'avance vers le terrain où il effectue plusieurs paniers, afin de le lui demander.

— Hé! Qu'est-ce que tu fiches encore ici, toi? lui dis-je en le hélant.

Il lance le ballon une dernière fois, réussit à le mettre dans le filet (évidemment!) et court vers moi. Il s'arrête à moins d'un mètre, le souffle court, le front luisant de sueur. (Mais comment fait-il pour être encore aussi mignon, malgré son visage rougi par l'effort?)

— Je me pratique, m'explique-t-il. Mon père est là toute la journée et j'en profite pour venir utiliser la plateforme multisport. Là-dessus, c'est génial de s'entraîner. Tu devrais essayer. Tu as l'air d'une fille pas mal sportive et je suis certain que tu aimerais ça...

— Ouin, si je n'avais pas une retenue, je viendrais te rejoindre sans hésiter. Mais je dois y aller, si je ne veux pas encore accumuler des points...

— Pourquoi tu as une retenue? me demande-t-il, en plissant les yeux.

Je hausse les épaules. Je n'ai pas le goût de lui expliquer ce qu'il en est. C'est-à-dire que j'ai encore une fois essayé de me faire renvoyer. Mais il est plus malin qu'il n'en a l'air (quoique je trouve qu'il a l'air assez malin comme ça...) et il me lance:

— Tu n'aurais pas fait exprès, par hasard? Je t'ai dit de ne pas faire ça.

— Si c'est parce que tu ne veux pas perdre une des joueuses de scrabble, je ne te comprends pas! Tu as bien vu comme j'étais nulle! En fait, je suis nulle dans presque tout, c'est bien simple!

— Je m'en fiche, du scrabble, je suis dans cette activité seulement pour faire plaisir à ma grand-mère, avec qui je joue le dimanche matin. Écoute, si tu veux, je vais me mettre en équipe avec toi, d'abord. On va s'amuser, tu vas voir.

— S'amuser en jouant au scrabble? Ça ne tourne pas rond dans ta tête, je crois! Et puis je ne veux PAS m'amuser, je veux juste m'en aller!

Je veux retourner à mon ancienne école ! Je veux revoir…

Je me tais parce que les larmes vont revenir et qu'il n'est pas question qu'il me voie dans cet état. Alors je lui tourne le dos et cours en direction de l'école. Lui, il me crie, au loin :

— C'est un garçon que tu veux aller rejoindre à ton ancienne école, c'est ça ?

Il ne comprend vraiment rien à rien. En fait, je me suis trompée : il n'est pas du tout si malin qu'il en a l'air ! Ça ne me tente pas de retourner lui expliquer que j'ai de la peine parce que je suis en train de perdre ma meilleure amie. Il ne pigerait pas. Personne ne veut m'écouter ! Ma mère pense que j'exagère. Mon père croit que je fais des caprices. Et même ma meilleure amie ne semble pas en faire tout un drame. Il n'y a que moi qui sens que tout s'écroule, dans ma vie !

J'entre dans le collège et m'appuie contre le mur, pour reprendre mon souffle. Je ferme les yeux et réfléchis. Je dois trouver un moyen. Ça ne doit pas être si compliqué que ça. Et je suis certaine que, si je me concentre (malgré mon déficit de l'attention), je vais trouver LA solution. Elle est là, quelque part, et elle attend seulement que je la trouve.

Je suis à deux doigts d'abandonner quand la porte s'ouvre de nouveau. Certaine qu'il s'agit de Sasha qui est venu me rejoindre, je me redresse pour lui faire face. Mais non... ce n'est pas lui. C'est plutôt un garçon beaucoup plus grand que moi (il *doit faire plus de six pieds, celui-là !*) qui pénètre dans le bâtiment. Il porte un veston de cuir par-dessus son uniforme du collège. Je ne l'ai jamais vu avant. Peut-être est-ce parce qu'il est en cinquième secondaire et que mon niveau ne fréquente pas le sien.

Il a l'air d'un dur à cuir, avec sa barbe de trois jours. D'ailleurs, pour être en retenue un samedi, il doit en être un, c'est sûr ! Je ne pensais pas que ce genre d'élèves pouvait venir dans ce collège. C'est quand même étonnant qu'il ait été accepté, étant donné la mauvaise influence qu'il doit avoir sur les autres.

Mauvaise influence...

Et ça y est. La solution me frappe de plein fouet ! C'est LUI, ma solution ! Maintenant, il faut juste que je trouve un moyen pour l'inviter chez moi. Et montrer à mes parents que les élèves qui viennent dans ce collège ne sont pas de bonnes fréquentations !

Je lui colle au derrière. OK, pas si près, quand même, mais assez pour qu'il commence à se douter de quelque chose. Dès qu'il me jette un regard, je m'empresse de lui faire un superbe sourire. (D'ailleurs, il faudrait que je songe à peaufiner ma technique, car ce n'est pas quelque chose que je fais souvent et j'ai peut-être juste l'air d'une psychopathe quand j'écarte les lèvres...)

Avant d'entrer dans le local de retenue, il n'en peut plus et me demande :

— Scuse, on se connaît ? Ou j'ai quelque chose de pris entre les dents ? Ou tu as besoin d'un crayon ? Dis-moi ce que tu veux, tu commences à me faire peur, tu sais...

— Oh, désolée, c'est simplement que tu es vraiment... vraiment très... très beau, quoi.

Il semble perplexe devant ma minable déclaration (je ne suis pas douée, je n'arrête pas de le répéter !), mais finit tout de même par me sourire à son tour.

— C'est gentil, mais... tu n'es pas tellement mon genre, toi. Tu es beaucoup trop jeune pour moi. Je ne veux pas te faire de la peine...

— Aucun problème. En fait, je vais être ranche, tu n'es absolument pas mon genre on plus.

Là, je viens de le perdre. Il doit se poser de sérieuses questions sur ma santé mentale. Je décide donc de lui dire la vérité. Après tout, je ne perds rien à tout lui expliquer, car ce n'est visiblement pas mon charme légendaire qui réussira à l'attirer chez moi...

— Je voulais savoir si tu étais prêt à me rendre un immense service.

— Euh, ça dépend.

— J'ai besoin de quelqu'un qui va venir chez moi pour montrer que, dans ce collège, il y a des jeunes qui ont vraiment une mauvaise influence. Quand mes parents vont te voir, ils vont tout de suite se dire que j'étais mieux à mon ancienne école !

Il lève un seul sourcil. Il me paraît d'ailleurs légèrement insulté.

— Je peux savoir pourquoi tu penses que je serais une mauvaise influence pour toi ? J'ai une moyenne de 95 % dans toutes mes matières.

— Ben... premièrement, il y a la barbe. Ensuite, il y a ça, dis-je en pointant son manteau de cuir. Sans compter que tu es quand même en retenue un samedi, non ?

Mon dernier argument le fait éclater de rire. Lorsqu'il reprend son souffle, il m'explique :

— Tu es une petite comique, toi. Je t'aime bien et ça me ferait plaisir de te rendre service, mais pour la retenue, tu n'y es pas du tout. C'est moi, votre surveillant. Je fais du bénévolat pour l'école et puisque je suis en secondaire cinq, je suis affecté à la retenue un samedi sur trois. Donc, si tu parles, c'est moi qui vais rallonger ta retenue d'aujourd'hui. Mais c'est plutôt drôle de savoir quelle a été ta première impression en me voyant ! Ha ! Ha ! Ha !

Mes épaules s'affaissent et je me renfrogne. Torbinouche, comme le dirait Émy-Lee, rien ne fonctionne jamais avec mes idées ! Il ne faut pas que je me laisse décourager. N'a-t-il pas dit qu'il m'aiderait ?

— Alors comment tu vas faire pour me rendre service, si tu n'es pas un bum ?

— C'est simple. Je connais quelqu'un qui pourrait me remplacer et venir chez toi... J'ai un frère en secondaire deux qui serait parfait pour jouer ce rôle. Je m'arrangerai pour vous présenter. D'ici là, va donc t'asseoir, la retenue est déjà commencée et je suis en retard à cause de toi...

Je sors du collège en compagnie de mon «surveillant» aux allures de bum. Tout en marchant vers sa voiture, il m'explique son idée pour m'aider. Je le fais rire et c'est pourquoi il a décidé de me venir en aide. Juste par altruisme. (*Ce mot, je vais le garder pour ma prochaine rencontre au scrabble.*) Lorsqu'il referme sa portière, je le salue et attends que mon père arrive. Un bruit de pas résonne dans mon dos et je ne suis pas surprise de voir arriver Sasha à ma hauteur.

— De quoi vous parliez? Tu avais l'air de le trouver... pas mal intéressant.

— C'est parce qu'il l'est! dis-je, avant de le planter là pour aller rejoindre mon père dont la voiture apparaît dans le stationnement.

Cette fois, je sens que mon plan va fonctionner. Mais il faut que j'en dise le moins possible à Sasha, ou il va encore tenter de me mettre des bâtons dans les roues. Émy-Lee, très bientôt, toi et moi, on sera de nouveau réunies!

À : Emy-Lee_Samson@coolmail.com
De : Nad@coolmail.com
Objet : DÉSESPOIR!!!

Écoute ça : mes parents m'ont dit que si je n'avais pas eu une retenue ce matin, nous serions allés aux pommes tous ensemble (avec toi!). Mais à cause de mon mauvais comportement des derniers jours, je n'ai pas pu y aller. Je me sens troooop mal!

Chose certaine, la prochaine fois, je vais les remettre à temps, mes fichus devoirs ! En plus, c'était trop poche, cette retenue. Long, pénible et ennuyant à mourir. À part le surveillant, qui avait un look assez cool. (Un élève de secondaire cinq que j'ai pris pour un bum... Je t'expliquerai au téléphone, j'ai eu l'air d'une nouille, si tu savais!)

Mais je ne peux pas t'appeler aujourd'hui, parce qu'en plus de ma retenue, mes parents m'ont privée de sortie pour le WE!

Nad,
Ta *best* (qui DOIT se reprendre en mains!)

À : Nad@coolmail.com
De : Emy-Lee_Samson@coolmail.com
Objet : RE : DÉSESPOIR!!!

Torbinouche, Nad! Essaie de te tenir tranquille, je t'en prie! Évite les retenues (à quoi tu t'attendais, ce n'est jamais le fun, les retenues!) et joue le jeu de la petite fille sage pendant quelques jours. Tes parents vont se calmer le pompon sur les punitions, tu vas voir.

Pendant ce temps-là, je vais essayer de trouver une solution à notre problème.

À +

Émy-Lee
(Qui n'en peut plus de toutes ces heures passées loin de sa *best*)

13
ÉMY-LEE

Je dois me mettre dans le trouble. Ça urge !

Nad est en train de perdre le contrôle, dans son collège minable. Je ne peux pas la laisser faire sans lever le petit doigt. C'est à mon tour de jouer.

Le problème, c'est qu'il me faut un plan plus solide qu'un mauvais tour raté au téléphone si je veux que mes parents se fâchent et considèrent que j'ai besoin d'un meilleur encadrement. En même temps, je sais qu'ils ne sont pas stupides et j'ai peur qu'ils comprennent mon petit jeu. Je vais devoir me montrer subtile.

PREMIÈREMENT : je dois arrêter de leur parler du collège. Si ça continue, ils vont faire une « écœurantite » aiguë à force d'entendre ce mot.

DEUXIÈMEMENT : ils doivent croire que mes nouveaux amis ont une super mauvaise influence sur moi.

215

Je raye le deuxième point de ma tête. Il faut être réaliste, quand même! Mes parents a-do-rent Thierry, Clémence et Alex. Ce sont toujours eux qui insistent pour les garder à souper quand ils viennent à la maison, c'est même agaçant, à la longue. Jamais je ne réussirai à leur faire croire qu'ils m'entraînent dans des histoires pas possibles.

Non. Je dois trouver quelqu'un d'autre. Le problème, c'est que, dans cette école, tout le monde sait que je suis aussi sage qu'un moine tibétain. Je ne suis pas le genre de fille qui aime se trouver en mauvaise posture, alors je ne sais pas trop comment me lier d'amitié avec quelqu'un qui réussira à me faire passer pour une dépravée sans honneur, sans scrupules et sans morale.

Plusieurs scénarios me viennent en tête, mais je sais déjà que Félix-Antoine n'acceptera jamais que je l'aide à tricher pendant ses examens et qu'Allison Lebel me repoussera dès qu'elle me verra approcher un peu trop près de sa gang de fauteurs de trouble professionnels.

Je suis un peu perdue, là. Je savais que ma mission ne serait pas simple, mais j'étais loin de me douter que ce serait si difficile.

Bon. Je n'ai plus le choix. Je dois cesser d'errer comme une vagabonde et aller en classe. Si je suis chanceuse, mon prof va s'énerver en me voyant gribouiller dans mon agenda au lieu d'écouter et m'enverra au bureau de la directrice. Me faire renvoyer deux fois en l'espace de quelques semaines, ça devrait convaincre mes parents qu'il me faut désormais un encadrement plus serré comme à Saint-Vincent-des-machins-trucs. Ça me paraît peu crédible (et surtout, très faible comme plan), mais ça vaut le coup d'essayer.

En empruntant le corridor qui mène à mon local, je tombe nez à nez avec Juliette et Maxime-Alexandre. Mon sang ne fait qu'un tour! Ils sont collés l'un à l'autre (pour ne pas dire «encastrés» l'un dans l'autre) et se bécotent sans gêne devant tout le monde. Pour un gars qui affirmait ne pas vouloir sortir avec elle, je trouve qu'il a les mains assez baladeuses… et la langue bien sortie!

Je lève la tête bien haut et je passe devant eux sans leur accorder un regard. J'ai ma fierté, quand même! Il est hors de question qu'il comprenne à quel point ça me fait mal au ventre de les voir ensemble! Enfin, j'entre dans mon local et je m'effondre sur ma chaise, les jambes en coton. Je suis une vraie guenille! J'ai juste envie de m'allonger au sol et de pleurer comme un bébé. Si c'est ça qu'on appelle l'amour, je préfère m'en passer. Ce n'est pas agréable du tout. Je voudrais que ce soit moi, là, dans ses bras. Pas cette Juliette aux cheveux blonds et au sourire parfait.

C'est plus fort que moi, ça fait des semaines que je me fais des films dans ma tête. Je me demande quel goût ont ses lèvres, je l'imagine passer son bras autour de ma taille, je l'entends me dire à quel point il me trouve belle…

Je sais bien que je rêve en couleurs, mais ça existe, les moments parfaits, dans les films, non ? Pourquoi je n'y aurais pas droit, moi aussi ?

Au lieu de ça, je me contente d'assister à ce spectacle désolant. Juliette en pâmoison devant un Maax pas de colonne qui n'arrive pas à lui avouer qu'il n'a pas envie d'être avec elle. C'est pathétique !

Dire qu'il m'a demandé de faire semblant d'être avec lui pour que Juliette le laisse tomber. Et quoi encore ? Il croit qu'il peut m'utiliser comme ça ? Qu'est-ce que j'y gagnerais, de toute façon ? (À part la satisfaction de passer du temps avec lui, de me retrouver dans ses bras, de le sentir près de moi.) Oh… J'ai des frissons rien que d'y penser !

Je secoue la tête avec vigueur.

Un peu de nerf, voyons ! Je ne vais quand même pas le laisser me manipuler. Il me faudrait une sacrée bonne raison pour accepter sa proposition. Ce n'est pas comme s'il me rendait un service en retour. Non. Je récolterai juste la honte de me savoir utilisée pour parvenir à ses fins. Pour bien faire, il faudrait que je puisse l'utiliser à mon tour. Ce serait une sorte de récompense, si on veut.

Soudain, j'ouvre grand les yeux! Oh! Oui! Mais bien sûr! Je suis un vrai génie!

Un grand frisson me parcourt les bras. En temps normal, je me serais tout de suite imaginé que je couve quelque chose comme la gastro ou la lèpre, mais je sais que je ne suis pas malade. Non! Cette sensation de vertige, je la ressens parce que je viens d'avoir toute une révélation. Une idée parfaite. Infaillible.

Et qui risque d'être très amusante.

Je n'en peux plus! Qu'est-ce qu'il est long, ce cours! Je crois que c'est pire que la fois où on s'est tapé un reportage sur les champs agricoles dans mon cours d'univers social! In-ter-mi-na-ble! Je ne suis pas du tout concentrée sur ce que raconte Mauve et Vert. Si ça continue, je vais rater toutes les infos importantes pour l'examen de la semaine prochaine...

Je souris. Ça colle parfaitement avec la nouvelle « moi rebelle » qui veut que ses notes baissent pour faire réagir ses parents. Ça me rend un peu nerveuse, mais il faut ce qu'il faut ! Pas de risque = pas de résultat !

Dans quelques minutes, la cloche va sonner et je pourrai aller parler à Maxime-Alexandre. Le problème, c'est que plus le temps passe, plus je sens les doutes m'envahir. Comment vais-je m'y prendre ? Qu'est-ce que je vais lui dire ? Comment va-t-il réagir ? Et s'il me riait en pleine face ?

Je note toutes mes craintes sur une feuille lignée, comme si les mots ainsi délivrés de mon esprit pouvaient me libérer de mes doutes... ce qui n'est pas tout à fait le cas, en fin de compte...

OMG !

Est-ce que c'est vraiment une bonne idée ?

S'il dit oui, est-ce que je vais devoir l'embrasser ?

JE CAPOTE !

Je n'ai jamais embrassé personne (si je ne compte pas le mini-bisou de Tristan Gauthier, le dernier jour de la maternelle).

Et si le mini-bisou de Tristan Gauthier

comptait ? Ça voudrait dire que j'ai quand même un peu d'expérience en la matière ? À voir.

Si je fais ça, est-ce que Maax sera réellement mon chum, ou mon faux chum ou mon presque vrai-faux chum ? Faudrait que je pose la question à Nad.

ET S'IL ME DISAIT NON ? J'aurais l'air de quoi ?

Je suis peut-être trop petite pour lui.

Ou trop brune.

Ou trop asiatique.

OK ! Il faut que j'arrête de paniquer. Tout de suite !

La fin du cours approche et je ne veux pas rater ma chance de lui proposer mon plan. Je dois inspirer… Expirer… Inspirer…

DRIINNG !

Oh ! Torbinouche ! Ça y est !

Je me lève d'un bond et je ramasse le bazar empilé sur mon bureau. Des crayons, des cahiers, des gommes à effacer… Bon sang ! J'en ai vraiment mis partout ! J'aurais dû ranger tout ça dans mon sac AVANT que la cloche sonne.

Je lève la tête en direction de la sortie et je constate que Maxime-Alexandre est déjà sur le seuil de la porte, prêt à rejoindre Juliette pour le dîner. Je dois l'empêcher de sortir.

— Maax!

Il se retourne au son de ma voix.

— Maax, ne t'en va pas tout de suite! Je crois que tu as oublié ton cell.

— Quoi? Mais non. Je viens de le récupérer.

Il brandit son téléphone pour que je le voie bien.

— Ah. Euh. Oups! Je croyais que c'était celui-là, le tien.

Comme il ne reste qu'un seul appareil dans le panier accroché à l'entrée du local, je lui pointe un truc rose à paillettes que Coralie s'empresse de récupérer avant de sortir. Je me sens un peu nouille, tout à coup.

— Tu es sûre que ça va? me demande Maax. Tu as l'air un peu... bizarre.

— Bizarre, moi? Pfff! Non, pas du tout.

— Tu es toute rouge.

— Oui, c'est parce qu'il faisait super chaud pendant le cours. Tu ne trouves pas?

— Non.

Je dois aboutir! Si ça continue, il va s'enfuir en courant.

— Bon, ben, à plus! me dit-il en me saluant de la main.

Maax est déjà dans le corridor. Je prends une grande inspiration et je crie presque :

— Non ! Attends ! J'aimerais te parler.

Je le rejoins et j'agrippe le bas de son t-shirt pour qu'il s'arrête. Il se retourne et me questionne du regard. Manifestement, je le prends par surprise.

— Qu'est-ce que tu veux ?

Quelques retardataires me poussent pour sortir du local et rejoindre le couloir bondé d'élèves pressés d'aller manger. Je ne pense pas que ce soit le meilleur endroit pour discuter de mon plan. Je lui propose, plutôt nerveuse :

— On peut aller ailleurs ? Il y a trop de monde, ici.

— Non, me répond-il d'un ton sans équivoque.

— Pourquoi ?

Maxime-Alexandre relève les sourcils et laisse un mini-sourire apparaître au coin de ses lèvres.

— Trop risqué.

— Je… Hein ? De quoi tu parles ?

— La dernière fois qu'on a discuté, tu m'as frappé, alors je me suis juré de ne jamais me retrouver seul avec toi. Je tiens trop à la vie.

Je me sens tellement mal que je ne sais plus où me mettre. Je glisse mes mains dans les poches de mon jeans et je lui souris bêtement.

— C'est bon, j'accepte tes excuses, me dit-il enfin.

— Je ne me suis même pas excusée…

— Non, mais je vais faire comme si c'était le cas. Bon. De quoi est-ce que tu voulais me parler ?

Je respire un peu mieux. Si je me fie à mon instinct, je dirais que ça s'annonce plutôt bien.

1. Maax n'est pas fâché contre moi.
2. Il accepte de m'écouter.
3. Il porte le t-shirt que je préfère.
C'EST SÛREMENT UN SIGNE !

Je lui explique :

— J'ai eu une idée qui pourrait nous convenir à tous les deux.

— Une idée, hein ? répète-t-il, intéressé. Tu piques ma curiosité.

— Oui, eh bien… J'ai repensé à la proposition que tu m'as faite, l'autre jour.

— Quelle proposition ?

— Tu ne te rappelles pas ? Ça concernait…

Je tire sur son chandail pour le forcer à se pencher vers moi et je chuchote :

— Ça concernait Juliette.

Maax recule d'un pas. Peut-être qu'il a peur de recevoir une autre claque.

— Ah… Ça…, marmonne-t-il, déçu. Laisse tomber, tu veux ?

— Non ! Au contraire ! Tu dois m'écouter !

Juste au moment où j'ouvre la bouche pour lui donner les détails, Juliette arrive derrière Maax et enlace ses bras autour de sa taille à la manière d'une pieuvre envahissante. Ou d'une sangsue… Ou d'une sangsue-pieuvre envahissante. Bref, elle arrive à un bien mauvais moment.

— Qu'est-ce que tu fais, Maxou ? Tu viens manger ou pas ?

Je retiens un fou rire. Maxou ? Sans blague ? Tu parles d'un surnom ! Maax lève les yeux au ciel et se retourne vers Juliette pour se libérer de son étreinte.

— Oui, j'arrive, lâche-t-il, un brin d'impatience dans la voix. Laisse-moi une minute avec Émy-Lee, d'accord ?

— Pourquoi ? Qu'est-ce que vous avez de si important à vous dire ?

— Rien, c'est juste pour un devoir d'anglais. Émy-Lee a proposé de m'aider.

— OK, alors je vais t'attendre ici.

Juliette laisse glisser son sac au sol et s'appuie dos au mur, sans jamais cesser de nous observer.

— Écoute, me dit Maxime-Alexandre, très mal à l'aise. On en reparlera une autre fois, d'accord ? Je ferais mieux d'y aller.

— Oui. Tu as sans doute raison.

Impossible de lui exposer mon plan maintenant. Juliette a les oreilles si tendues vers nous que je risque de trébucher dessus. Tant pis. Je trouverai bien le moyen d'être seule avec Maax à un moment donné.

— À plus, alors.

— À plus.

À : Nad@coolmail.com
De : Emy-Lee_Samson@coolmail.com
Objet : Seule au monde

Hé ! Ça va ?

JE M'ENNUIE DE TOI !

Je pensais qu'on aurait un peu plus de temps l'une pour l'autre depuis que j'ai arrêté l'athlétisme, mais on continue de se rater jour après jour... Un courriel par-ci, un texto par-là, un coup de téléphone à l'occasion... Ça remonte à quand, la dernière fois qu'on a passé TOUTE UNE JOURNÉE ensemble ?

Bref, je me sens seule.

En plus, Clémence, Alex et Thierry me boudent. Apparemment, Clémence aurait rencontré ta mère à la pharmacie... Jusque-là, rien de bien dramatique, tu me diras. Mais souviens-toi, selon mes mensonges de début d'année, tes parents sont censés être en train d'élever des alpagas en Bulgarie. (Je ne sais pas ce qui m'est passé par la tête quand j'ai dit ça !) Résultat : tout le monde est fâché contre moi. J'ai eu beau leur expliquer que c'était une petite blague de rien du tout, Alex et les autres prétendent qu'ils ne peuvent pas me faire confiance. Je me retrouve donc à errer seule comme une dinde dans les couloirs de l'école.

Le malheur s'acharne sur moi, je te dis!

La seule petite chose qui me tient en vie (à part toi, évidemment), c'est Maax. OK! Relaxe! Je t'entends déjà me dire que cet imbécile ne mérite pas que je lui consacre une seule de mes pensées, mais je n'y peux rien, c'est plus fort que moi. Je pense à lui tout le temps.

C'est pour ça que j'ai décidé de le rencontrer. Dans quelques jours, lui et moi, on va avoir une sérieuse conversation. Si je suis chanceuse, il comprendra peut-être qu'on est faits l'un pour l'autre. On se croise les doigts.

Bye!

Émy-Lee
(Qui risque de faire de très beaux rêves, cette nuit)

À: Emy-Lee_Samson@coolmail.com
De: Nad@coolmail.com
Objet: RE: Seule au monde

Comment veux-tu que j'aie oublié cette histoire d'alpagas?! Quand ma mère est revenue de la pharmacie, j'ai été obligée de lui raconter d'où ça sortait ! Une chance que ma mère a le sens de l'humour (je ne peux pas croire que je sois en train d'écrire ça !), parce qu'elle a éclaté de rire et qu'elle s'est moquée de moi tout le reste de la soirée. Mon père s'en est mêlé et lui aussi s'est payé ma tête.

Mais bon, je ne t'en veux pas, je t'imagine plutôt essayer de trouver une excuse, toi qui n'as aucun talent pour ça ! Et c'est tant mieux ! Tu ne serais pas du genre à me mentir ou à me raconter des histoires, car je le verrais tout de suite.

Je sais bien qu'on ne se voit presque plus, mais je n'y peux rien... On dirait que le sort s'acharne sur nous. Tu as pensé à faire une petite séance de vaudou avec moi, pour tenter d'arranger les choses ? Ce serait drôle, non ? Pourquoi pas cette semaine ?

Je suis certaine qu'on peut trouver un trou dans notre horaire...

Reviens-moi là-dessus. Moi, je vais préparer deux poupées qui nous représentent en attendant.

Nad
Ta *best* (qui s'en va fouiller dans ses vieilles poupées...)

PS : Maax, tu es sûre que c'est le bon gars pour toi ? Je ne sais pas, il me semble que vous feriez un couple bizarre...

À : Nad@coolmail.com
De : Emy-Lee_Samson@coolmail.com
Objet : RE : RE : Seule au monde

Du vaudou ? Euh… Pas certaine de comprendre…
Je croyais que les poupées vaudou servaient à
torturer nos ennemis !

Maax est PARFAIT pour moi. Point. Final.

Émy-Lee
(Qui n'aime pas trop lire « poupée vaudou » et
« Maax » dans le même courriel)

À : Emy-Lee_Samson@coolmail.com
De : Nad@coolmail.com
Objet : Les poupées

Compris, on oublie les poupées… (Mais ça aurait
été cool, quand même !)

Nad
Ta *best* (sorcière vaudou à ses heures…)

14

NADEIGE

Émy-Lee est à deux doigts de se faire un chum. Elle en a peut-être déjà un en ce moment même. Et elle ne viendra pas se confier, évidemment, parce que j'ai été trop méchante avec elle. Je lui ai lancé des tas de trucs qui ne se disent pas, quand on est amies. Ce qui prouve que l'éloignement est trop néfaste pour notre relation. Si je reviens enfin à notre école, on pourra tout reprendre à zéro. Et promis, je vais être contente pour elle si elle a un chum. Mais pour le moment, je n'y arrive pas. Je ne suis pas « jalouse ». Je suis… je suis dévastée. Je m'ennuie d'elle et je veux revenir en arrière.

Je veux m'excuser d'être une amie si nulle. De ne pas avoir été capable de réussir mon secondaire un avec de meilleurs résultats. D'avoir été forcée de venir dans ce collège pour les idiots. De penser à moi avant de penser à elle. D'être la pire des pires des pires de toutes les amies de la terre !

Je marche dans la cour d'école, le collet de mon manteau remonté sur mon visage, pour éviter que le vent froid ne fasse tomber mes oreilles en petits glaçons sur le sol asphalté. Mais une paire d'espadrilles détrempées arrive dans mon champ de vision. On me bloque le chemin. Je lève les yeux et dévisage un parfait inconnu. Un autre... Je n'arrive pas à me faire à tous ces visages que je ne reconnais jamais. À tous ces élèves que je n'ai jamais vus. Je me sens seule. Et en colère.

Je prends tout de même quelques secondes pour tenter de me souvenir si ce garçon qui me fait face est dans un de mes cours. Ou dans mon club de scrabble. Ou au moins en secondaire deux. Mais rien ne me vient. Je ne sais pas du tout de qui il s'agit et ce qu'il me veut. Sans compter qu'avec cet uniforme, nous nous ressemblons tous et le spécimen devant moi ne fait pas exception. Il n'a rien de particulier qui pourrait aider mon cerveau déjà surchargé. Du moins, jusqu'à ce qu'il se décide à se présenter :

— Salut, moi, c'est Nick. Mon frère m'a dit que tu cherchais quelqu'un pour t'aider.

— Ton frère ? Je suis pas mal certaine que je ne connais pas ton frère...

— Bien sûr que tu le connais ! Il a fini par me convaincre de venir te voir pour te rendre service. Ça ne me tentait pas tellement, au début, parce que tu n'as pas la réputation d'être une fille si sympathique, mais comme il m'a dit que tu pourrais me payer...

— Comment ça, pas sympathique?! Et c'est quoi cette histoire de te payer?

Et enfin, ça fait «pop» dans ma tête! C'est lui, le frère de mon surveillant qui avait l'air d'un bum! Sauf que c'est ÇA, son frère? Un gars qui semble sorti tout droit d'une pub pour être accepté au collège? JAMAIS mes parents ne vont croire qu'un tel élève pourrait avoir une mauvaise influence sur moi! C'est ridicule! De plus, il est hors de question que je pige dans mon compte en banque pour le payer.

— Je sais ce que tu te dis: il n'y a aucune chance que ça fonctionne. Je n'ai pas le look de l'emploi, c'est ça?

Je hoche la tête, en faisant la grimace, mais il reprend aussitôt la parole, comme s'il cherchait à me convaincre.

— Tu sauras que je suis dans l'équipe de théâtre depuis l'an dernier et que je suis des cours depuis la maternelle. Je suis un des meilleurs acteurs de la troupe et je peux jouer n'importe quel rôle. Si tu veux que je fasse le dur à cuire, c'est facile. Je vais emprunter les vêtements de mon frère et le tour est joué.

— Euh… ouais, je demande quand même à voir ça…

— Pas de trouble. Ce midi, rendez-vous devant le local C-301. C'est là où la troupe de théâtre se retrouve tous les jours. Tu vas voir, je vais te montrer de quoi je suis capable.

Je finis par acquiescer, à la fois pour qu'il me laisse tranquille, mais aussi parce qu'une part de moi est légèrement intriguée par ce gars. (Et 100 % parce que je suis à bout de ressources et que je serais prête à sauter sur n'importe quelle idée pour revenir à mon ancienne école !) Sérieux, il a vraiment une très haute estime de lui-même, celui-là ! Mais il n'en est pas moins un peu bizarre… Avant de partir et de me laisser déprimer dans mon coin, il tient à clarifier certains points.

— Un dernier détail super important : je ne viens chez toi qu'une seule et unique fois. Et je veux recevoir cent dollars. C'est à prendre ou à laisser…

J'ouvre grand les yeux. Cent dollars ? Ouf… il ne se prend pas pour n'importe qui ! Je calcule mentalement l'argent de poche qu'il me reste. Mais j'ai toujours été nulle en calcul mental, alors je parviens de peine et de misère à me convaincre que je dois avoir cet argent à la maison. Pas sûre non plus. Il faudra que je vérifie ce soir.

Et de toute manière, rien ne prouve que ça va fonctionner et que ce Nick va me convaincre de l'engager ! Mais j'ai quand même hâte de voir de quoi il est capable…

✳ ✳ ✳

Mon sac à lunch dans une main, j'explique à Delphine que je ne dînerai pas avec elle aujourd'hui. Que j'ai un « rendez-vous ». Je fais les guillemets avec les doigts. C'est notre signe, quand on veut parler de notre plan pour me faire renvoyer. Elle me fait un clin d'œil, non sans me supplier de tout lui raconter à notre retour de l'école en autobus.

Puis, je me dirige vers l'escalier central, pour essayer de trouver le local de théâtre. Derrière moi, nul autre que Sasha (alias celui qui aime bien mettre son nez dans les affaires des autres) est déjà dans mon dos pour savoir où je vais. Sans le regarder, je réponds :

— Pas de tes oignons.

— C'est quoi, cette histoire de « rendez-vous » ? insiste-t-il, en imitant le geste que j'ai fait quelques minutes plus tôt.

— Pas de tes…

— Et pourquoi Nick est allé te parler, ce matin, quand tu es arrivée dans la cour ?

— Pas…

— Où étais-tu le quatorze au soir ? Avec qui ? Quel est ton alibi ? me bombarde-t-il, en faisant semblant de tenir un micro entre ses doigts.

J'ai de la difficulté à ne pas sourire. Aussitôt, il s'exclame :

— AH ! AH ! Je savais que tu étais beaucoup plus jolie quand tu souriais ! Madame Leblanc, vous venez d'être percée à jour ! COUPABLE ! Et votre sentence sera…

Je le repousse d'une main, sans pouvoir m'enlever ce fichu sourire du visage. Il revient rapidement à l'assaut, en se plantant devant moi.

— Pourquoi pas… un baiser ?

Je stoppe net et le dévisage. Déjà, il se penche vers moi et je dois reculer de deux pas pour qu'il ne réussisse pas à poser les lèvres sur les miennes.

— Hé ! Ne fais plus jamais ça !

— Et pourquoi donc ? rétorque-t-il, sans perdre contenance et en venant me rejoindre.

— Parce que…

— Argument rejeté, murmure-t-il en attrapant mes deux bras pour m'empêcher de me sauver encore une fois.

Ses lèvres sont tout près des miennes. Dans maximum une seconde et demie, il va m'embrasser. Son odeur me donne le tournis. C'est un mélange de détergent à lessive et de menthe (son dentifrice?). Plus une autre odeur qui lui ressemble, qui est lui. Et je suis à un poil de me laisser aller, mais je ne peux pas. Sinon, la situation va se compliquer davantage. Sinon, j'aurai l'impression de me briser en deux quand viendra le temps de repartir dans mon ancienne école. Et je ne veux pas avoir à choisir entre Émy-Lee et Sasha. J'ai beaucoup trop peur de la décision que je pourrais prendre...

Alors, en fermant les yeux, je chuchote, mes lèvres presque collées contre les siennes:

— Parce que j'ai un rendez-vous avec un gars dans deux minutes...

Il me lâche et recule brusquement. Comme s'il venait de se faire brûler. Il me fixe sans dire un mot. Puis, il secoue la tête et passe la main dans ses cheveux.

— Tu le fais exprès, hein?

— De quoi tu parles?

— Tu es tellement... argh! Laisse faire. Je n'ai pas besoin d'une fille comme toi dans ma vie en ce moment! Tu passes ton temps à me rendre fou ! Je lui souhaite bonne chance, à ta *date*, parce qu'il va en avoir besoin ! *Ciao !*

Et il me plante là. Comme ça. Je sens un grand vide en moi. Pourtant, c'est exactement ce que je voulais. Que Sasha me laisse tranquille. Même si ça fait un peu mal. Je me secoue et continue d'avancer en direction du local de théâtre. Il faut que je me concentre sur mon objectif.

Ce n'est pas long que je trouve l'endroit où se cachent les comédiens et comédiennes du collège. La pièce est plongée dans une semi-obscurité. Elle est très grande et il y a des bouts de décor dans tous les coins, ainsi que des costumes accrochés à des cintres. J'entends la voix d'un garçon qui semble être en train de se plaindre. Plus j'approche de la voix, et plus j'ai l'impression de la connaître. Je longe les murs, pour ne pas me faire remarquer, soudainement mal à l'aise. Je ne suis pas à ma place, ici.

Mais je continue d'avancer. Nick m'a donné rendez-vous et je suis une fille qui respecte ses promesses. Dès que je le verrai, je lui dirai que ça ne va pas du tout. Il est tellement à l'opposé de ce que je cherche que c'en est gênant. La voix du garçon est de plus en plus forte et je remarque que plusieurs jeunes se sont regroupés autour de lui. Il ne semble pas être en train de déclamer un texte. Ça semble plus naturel. Peut-être qu'ils sont tous en réunion. Dans ce cas, je n'ai rien à faire ici et il serait temps que Nick se pointe, pour que je puisse retourner à la café et avoir le temps de manger un peu.

Tandis que je me fais la réflexion que l'heure du dîner est d'ailleurs vraiment trop courte, ici, deux jeunes se tassent et je peux enfin voir qui est en train de parler, au centre du cercle. Et je reste sans voix. C'est lui. C'est Nick. Il porte un blouson de cuir et a remplacé son uniforme par un jeans troué et un chandail noir avec le logo d'un groupe de métal rock. Il a aussi relevé ses cheveux dans les airs et souligné ses yeux d'un trait de crayon.

Il a un look d'enfer. Même moi, j'en reste estomaquée. (Et il m'en faut beaucoup pour m'impressionner.) Son regard se pose sur moi et il me fait signe d'avancer. Comme hypnotisée, je marche dans sa direction. Alors, il me sourit et demande :

— Et puis ? Ça va marcher avec tes parents, tu crois ?

— Tu vas être parfait… Quand est-ce que je t'invite ?

— Attends un peu, ne va pas trop vite. Il y a encore bien des closes que je vais devoir t'expliquer...

Et je le reconnais bien là. C'est le même garçon un peu barjo qui veut que je le paie cent dollars pour une représentation devant mes parents et qui a une si haute estime de lui-même. Mais ça me va. Tant que je n'aurai à le supporter qu'une seule soirée !

À: Emy-Lee_Samson@coolmail.com
De: Nad@coolmail.com
Objet: Une grande nouvelle...

D'abord, je voulais m'excuser (j'ai l'impression de ne faire que ça, ces derniers temps...) pour notre dernière conversation. J'ai été un peu bête. Bon, d'accord, beaucoup. J'ai peur, tu comprends! Peur que tu m'oublies, si tu sors avec quelqu'un. Je sais que c'est ridicule, mais je ne peux pas me contrôler, qu'est-ce que tu veux! C'est aussi un peu pour ça que j'ai sorti cette idée idiote de faire du vaudou. Pour qu'on passe un peu de temps ensemble...

Mais je sens que je vais te surprendre, car... je vais peut-être me faire un chum, moi aussi! Il s'appelle Nick et je l'ai invité à rencontrer mes parents. J'ai hâte de le leur présenter. Il est... spécial. Bien mieux que ce Sasha à la noix!

Bref, je t'en donne des nouvelles très bientôt, car je sens que tu vas avoir des tas de questions à me poser...

Nad
Ta *best* (très bientôt en couple!)

À : Nad@coolmail.com
De : Emy-Lee_Samson@coolmail.com
Objet : RE : Une grande nouvelle...

En couple, TOI? Ben voyons! Tu ne me feras pas avaler ça!

D'abord, c'est qui, ce Nick? Tu me parles de lui pour la première fois et déjà, tu m'annonces que tu vas peut-être sortir avec lui? Et que tu vas le présenter à tes parents AVANT de me le présenter À MOI?

Qu'est-ce qui se passe, Nad? C'est cette école qui te rend complètement barjo? J'attends ta réponse.

Émy-Lee
(Qui aimerait bien comprendre quelle mouche t'a piquée)

À : Emy-Lee_Samson@coolmail.com
De : Nad@coolmail.com
Objet : RE : RE : Une grande nouvelle...

Hé! C'est juste un gars. Je ne suis même pas sûre que ça va réellement cliquer entre nous deux. Mais bon, je ne le saurai jamais si je n'essaie pas, hein?

242

Et je ne pensais pas te le présenter tout de suite, parce qu'on ne sort pas encore ensemble... Si vraiment ça arrive, promis, je te tiendrai informée. Ah, et juste en passant, c'est le frère du surveillant cool de ma retenue de l'autre fois. Alors ce n'est pas vraaaiment un inconnu, tsé...

Nad
Ta *best* (tu sais que c'est toi qui vas rester la plus importante pour moi, chum ou pas!)

15

ÉMY-LEE

Je suis nerveuse.

C'est la première fois que j'ai un rendez-vous avec un garçon. Je ne suis pas stupide, je sais que ce n'est pas un vrai de vrai rendez-vous, avec le premier baiser et tout le tralala, mais quand même… Mon estomac est de plus en plus contracté à mesure que j'avance dans les rues de mon quartier.

Je viens de passer une heure dans ma chambre à m'habiller (me déshabiller, me rhabiller, me déshabiller… Nad! Au secours!), à me coiffer, à observer mon reflet dans le miroir et surtout, à peaufiner mon argumentation. Tout doit être parfait si je veux convaincre Maax que mon idée est géniale. J'ai même pris ma pression et ausculté mon cœur, juste pour être sûre. Tout est beau.

Le vent est frais, ce soir. On dirait qu'il va neiger. Heureusement que je porte mon tout nouveau foulard, je serais complètement gelée, sinon. Il me faut quinze bonnes minutes pour me rendre à la pâtisserie de la Troisième Avenue. Ils y servent les meilleures brioches à la cannelle de toute la ville. Ce sera l'endroit parfait pour discuter sans être dérangés.

Dès que je pousse la porte de l'établissement, je suis accueillie par une odeur alléchante de croissants au beurre et de chocolat chaud. Ce parfum réconfortant m'aide à me sentir mieux. Il ne me faut que deux secondes pour repérer Maax, assis sur une banquette à l'autre bout de la petite salle. Malgré ma nervosité, je prends mon courage à deux mains et je longe la petite allée pour m'asseoir en face de lui.

— Salut, Émy-Lee.

— Salut.

My God ! Maxime-Alexandre est particulièrement beau, ce soir. Est-ce qu'il le fait exprès, ou quoi ? Il porte la veste que je préfère et ses cheveux sont juste-un-petit-peu-mais-pas-trop ébouriffés sous sa nouvelle casquette. Il est trop parfait !

Avant qu'on aborde le sujet de notre rencontre, la serveuse vient prendre notre commande. On choisit chacun une brioche et un chocolat chaud. Je demande un petit extra pour ma boisson :

— Pouvez-vous ajouter un peu de menthe dans mon chocolat chaud, s'il vous plaît ?

— Bien sûr, me répond la serveuse avec un grand sourire.

Elle fait demi-tour et rejoint les cuisines.

— De la menthe dans le chocolat chaud ? s'étonne Maax, les sourcils relevés.

— C'est super bon. Je te ferai goûter, si tu veux.

— OK.

Il me sourit.

Ça s'annonce bien. On va pouvoir discuter de choses sérieuses. Comme je ne veux pas l'effrayer avec mes idées « un peu » tordues, je dois y aller en douceur. Lui présenter le contexte, lui exposer les faits.

— J'ai repensé à ta proposition de l'autre jour. Tu sais, quand on était sur la piste et que…

— Et que tu m'as dit que j'étais le pire des idiots ? demande-t-il, avec le petit sourire en coin qui lui va si bien.

— Oui… Bon… Je ne le pensais pas vraiment, c'est juste que…

— C'était complètement stupide de te proposer de faire semblant d'être ma blonde, m'interrompt-il. Je suis désolé de t'avoir mêlée à ça.

— Non, au contraire. C'était un super plan.

Il me questionne du regard.

— Pour vrai ?

— Mais oui. Je connais Juliette. Ce n'est pas le genre de fille que tu peux laisser tomber facilement.

— Comment tu le sais ?

— Jérémie Landry, ça te dit quelque chose ?

Maxime-Alexandre ouvre grand les yeux. Il se souvient. Tout le monde sait que le pauvre Jérémie a tout essayé pour casser avec Juliette, l'année dernière. Rien n'y faisait. Puis, il a eu un accident de motocross et il est resté à l'hôpital pendant des semaines. C'est là qu'elle s'est désintéressée de lui et qu'elle a commencé à aller voir ailleurs. Une vraie cinglée !

— Oui, je m'en souviens…, confirme-t-il, hésitant.

— Mais ?

Je ne suis pas tarte. Je sens bien qu'il y a un « mais ».

— Mais… Je me dis que ce n'est pas si pire, finalement. Je m'habitue à elle, avec le temps.

— Quoi ?

— Oui, c'est vrai qu'elle est un peu envahissante, accorde Maax, mais j'ai appris à la connaître et je vais finir par l'apprécier, j'en suis convaincu.

Quel trouillard !

— Redescends un peu sur terre, voyons! Cette fille est insupportable. Si tu ne t'occupes pas très vite de son cas, elle s'accrochera à toi comme une sangsue-pieuvre et elle ne te lâchera pas avant que tu aies autant de cheveux blancs que mon grand-père.

— Une sangsue-pieuvre?

— Oui... Enfin... Je me comprends.

J'ai peut-être exagéré ma plaidoirie, mais ça semble fonctionner. Maxime-Alexandre se mord la lèvre et hoche la tête, comme si mon analyse faisait son petit bout de chemin dans son esprit. Puis, il relève la tête et plonge des yeux déterminés dans les miens.

— Qu'est-ce que tu proposes?

Yes! Première étape réussie!

Je sors un stylo et je gribouille les grandes lignes de mon plan sur une serviette de table.

1. Tu dis à Juliette que tu ne veux plus sortir avec elle.

2. Juliette fait à sa tête.

3. Tu insistes. Elle insiste. Bref, ça ne mène à rien.

4. On fait semblant de sortir ensemble tous les deux.

5. Juliette est furieuse et comprend enfin que c'est fini.

6. Fin de la première étape.

— OK…, marmonne Maxime-Alexandre en tenant la serviette entre ses doigts. Ça me semble correct, comme plan. C'est quoi, la deuxième étape ? Parce qu'il y a une deuxième étape, c'est bien ça ?

— Oui. Celle-là est un peu plus délicate, par contre.

Mes lèvres s'étirent en un sourire forcé.

— Qu'est-ce qui peut être plus délicat que ÇA ? demande-t-il en pointant les détails de notre plan.

— Eh bien… Disons que j'ai besoin d'un petit coup de pouce en échange de mes services de fausse blonde.

— Quel genre de service ?

La serveuse nous interrompt pour nous apporter notre commande. Je la remercie poliment et je croque à belles dents dans ma brioche à la cannelle. Ça me laisse le temps de rassembler mes esprits. Je ne voudrais pas rater mon coup.

Lentement, sans négliger aucun détail, je dis tout à Maax. Je me vide littéralement le cœur. Je lui explique pourquoi Nad doit passer son année au collège, je lui confie à quel point elle me manque, je lui raconte mes hauts et mes bas (surtout mes bas) depuis son départ de l'école et je termine en lui exprimant mon souhait le plus cher : convaincre mes parents de m'inscrire à Saint-Vincent.

Maxime-Alexandre est formidable. Il m'écoute sans m'interrompre, sans me quitter du regard. À la toute fin de mon récit, alors que l'émotion me gagne et comprime ma gorge, il prononce les mots qu'il faut :

— C'est bon. J'embarque !

— Je ne t'ai pas encore dit ce que j'attendais de toi…

— Je m'en fiche.

Et là, j'éclate en sanglots.

Torbinouche ! Qu'est-ce qui me prend ? Je suis en train de tout gâcher ! Je bafouille une excuse en m'essuyant les yeux avec la manche de mon chandail.

— Je suis désolée. Tu dois me prendre pour une idiote.

— Pas du tout.

— C'est juste que… je n'avais pas réalisé à quel point tous ces secrets me pesaient avant de t'en parler.

— C'est bon, tu n'as pas à t'en faire, m'assure-t-il en me tendant une serviette de table. Tiens.

— Merci.

Maax me sourit. Je reprends mes esprits et je lui tends mon chocolat chaud à la menthe.

— Tu veux goûter?

Il le prend avec plaisir. Un frisson glisse le long de mon cou au moment où ses lèvres se posent sur ma tasse.

— Hum! C'est super bon, la menthe et le chocolat! Merci.

Il me redonne ma tasse et je prends une gorgée à mon tour. Je m'applique à poser mes lèves exactement au même endroit où il a posé les siennes, quelques secondes auparavant. Ainsi, j'ai l'impression de me rapprocher un peu de lui… Je sais, je sais… Ma tasse est maintenant bourrée de bactéries, mais c'est Maax… C'est différent…

— Bon. Passons aux choses sérieuses. C'est quoi, ta combine?

— Ce n'est pas vraiment une combine. C'est plus un moyen détourné de me faire des ennuis. Je veux que mes parents se fâchent après moi… et après toi… et après tout ce qui représente cette fichue école, pour qu'ils se décident enfin à m'envoyer dans ce super collège privé qui déborde d'encadrement.

Maax laisse échapper un petit rire.

— Explique-moi ta définition du mot « combine » parce que la mienne ressemble pas mal à ce que tu viens de me décrire.

Je rigole à mon tour.

— Oui, c'est peut-être une combine, finalement.

— C'est bien ce que je pensais.

Je ne sais pas si c'est moi, mais on dirait qu'il y a un petit quelque chose qui passe entre nous… Une sorte de connexion ou de courant. Je ne sais pas comment l'expliquer, mais c'est plutôt agréable comme sensation.

— Ce que j'aimerais, dis-je finalement, c'est que tu m'accompagnes pour faire un vol à l'étalage.

Je reçois instantanément un gros morceau de brioche en plein visage. Dans sa surprise, Maax s'est presque étouffé et n'a pas eu d'autre choix que recracher ce qu'il avait en bouche.

— Hé! Ça va?

Je demande ça comme si de rien n'était, mais, à l'intérieur de moi, je panique grave! Toute cette nourriture qui me colle au visage est franchement dégueu! Sans compter le fait que Maax a failli s'étouffer. Il devrait carrément prendre de plus petites bouchées! Je m'essuie la joue en cachant mon dédain et lui tends un verre d'eau pendant qu'il cherche son souffle.

— Tu es malade? réussit-il à articuler entre deux toussotements. Un vol à l'étalage?

— Oui, mais pas un gros vol. Juste un petit quelque chose de rien du tout.

Il me regarde comme si j'étais complètement dégénérée.

— Un vol, c'est un vol, Émy-Lee. Tu peux te faire arrêter, pour ça!

— C'est ça l'idée, justement!

— Tu as vraiment envie de passer une nuit en prison, de te retrouver avec un casier judiciaire et de te faire poursuivre devant un tribunal?

— Une nuit en prison? Mais non, voyons! Tu écoutes trop de séries policières. Si je me fais prendre… Je devrais plutôt dire QUAND je vais me faire prendre, parce que c'est justement mon but, eh bien, les policiers vont appeler mes parents, leur demander de venir au magasin, me faire jurer de ne plus jamais recommencer et me laisser partir en se disant qu'une fois à la maison, j'écoperais de la pire des punitions.

— Tu crois qu'ils vont accepter de t'envoyer au collège, après ça ? Parce que, d'après ce que tu m'as dit, il s'agirait plutôt d'une récompense.

— Mes parents tiennent tant à moi qu'ils vont opter pour la meilleure supervision possible. Alors, tu embarques ?

Maax se frotte le menton à la manière d'un détective sur le point de trouver le coupable d'un meurtre.

— Je ne sais pas. C'est très risqué, ton truc.

— Risqué ? Mais non ! Je viens de t'expliquer. Il suffit de...

— Je comprends ce que tu viens de m'expliquer, Émy-Lee, me coupe-t-il, mais ça, c'est la partie où tout va bien pour toi. Il manque la partie où les choses finissent bien pour moi aussi, tu vois. Je ne crois pas que mes parents seront très heureux que je me fasse arrêter pour vol à l'étalage.

— Ah... Oui... Je n'avais pas pensé à ça...

Eh zut ! Dans mon empressement à trouver la solution parfaite, j'ai oublié de lui trouver une porte de sortie.

— OK, je sais! Tu m'accompagnes, mais tu ne voles rien du tout. Comme ça, tu seras arrêté pour complicité et tu pourras affirmer que tu n'étais pas au courant de ce que j'allais faire et que tu n'y étais pour rien!

— Oui. Ce n'est pas mal… Mais c'est quand même un très gros risque.

— C'est un échange de services, tu te souviens? Je fais semblant d'être ta blonde et tu m'accompagnes dans ma délinquance.

— Ce n'est pas un marché très équitable.

Maax soupire et s'adosse à la banquette, les bras croisés.

— Je crois que je vais laisser tomber toute cette histoire. Je préfère endurer Juliette.

— Non! Tu ne peux pas me faire ça!

— Mais oui, je peux, tiens. Tu ne vas quand même pas décider pour moi.

Torbinouche! Non seulement je perds mon complice, mais, en plus, je viens de laisser filer ma chance de passer plus de temps avec lui. J'ai tout fait foirer!

— À moins que…, marmonne-t-il.

— À moins que quoi? Dis-moi à quoi tu penses! Je suis prête à tout!

Houlà! Je dois me calmer. J'ai l'air de la fille prête à se mettre à genoux pour lui lécher les bottes. Un peu de dignité, quand même. Je reprends une voix un peu plus posée et je lui demande :

— Qu'est-ce qui te ferait plaisir ?

— Je veux que tu reviennes dans le club d'athlétisme.

Aïe ! Je ne l'avais pas vue venir, celle-là !

— Le club d'athlétisme ? Pourquoi ?

— Parce que c'est beaucoup plus amusant quand tu es là.

— Tu t'ennuies de voir les autres se moquer de moi ?

Il plisse les yeux et m'observe sévèrement.

— Tu ne penses pas ce que tu viens de dire, n'est-ce pas ?

— Euh…

Je crois que je pourrais gagner un prix international de l'art de la maladresse oratoire. Sans blague ! Je me mets toujours dans des situations pas possibles.

— Non. Je me suis mal exprimée. Écoute… Je suis la plus petite du groupe, la plus lente, et surtout, la plus malhabile. J'en ai assez de me faire ridiculiser tout le temps.

— Oui, mais moi, je ne t'ai jamais ridiculisée, me dit Maax avec pertinence.

— C'est vrai.

— En plus, comme on fera semblant de sortir ensemble, j'aurai un bon prétexte pour te défendre si les autres s'en prennent à toi.

— Ouais! C'est bon, ça! J'adore l'idée.

Maax me tend sa main au-dessus de la table.

— Alors, on a un accord?

— On a un accord!

Je lui serre la pince et on continue à discuter de notre plan en terminant nos brioches et nos chocolats chauds.

J'ai hâte de voir la réaction de Nad quand je vais lui annoncer ma grande (et fausse) nouvelle!

Je flotte sur un nuage, ma belle Nadou-chette d'amour! Un nuage rempli de fleurs, de petits cœurs et d'arcs-en-ciel! Sais-tu que la vie est belle? Oh oui! Très belle, parce que j'ai un CHUM, maintenant!

Ah, génial...
J'espère au moins qu'il est gentil avec toi.

Ne t'inquiète pas, Maax est toujours très gentil avec moi. On a mis les choses au clair (gros malentendu qui ne méritait pas que je réagisse aussi fort) et on a compris qu'on était faits l'un pour l'autre. Je vais même reprendre l'athlétisme, pour passer plus de temps avec lui.

On ne décide pas de faire de l'athlétisme à cause d'un gars, tsé!

Et lui et toi, c'est allé jusqu'où, au fait...?

Ben... En fait, on ne s'est pas encore embrassés... Mais ça ne va pas tarder, je te jure!

Pas besoin de me jurer quoi que ce soit.
Ce n'est quand même pas comme si
c'était moi qui allais sortir avec...

Qu'est-ce que tu as? Tu pourrais être
contente pour moi, au moins!

Mais je SUIS contente, Émy! Je ne sais
pas pourquoi tu dis ça!

Ben ça ne paraît pas! On dirait
que tu te forces pour être gentille
(et c'est LOIN d'être réussi).

MOI?! Me forcer pour être gentille?
C'est parce que tu parles à Nadeige
Leblanc, en passant!

Je ne me force JAMAIS! Je dis ce
que je pense, c'est tout.

Et NON, sérieux, je suis contente.
Je te le jure!

Je suis certaine que vous allez former
un super beau couple, voilà!

OK, je te crois. Et toi, comment
ça va avec Nick?

Ah, euh… Nick. Ben, on se voit de plus en plus à l'école.

Il va venir souper chez moi, comme tu le sais. Je dois d'ailleurs demander à mes parents si c'est toujours correct. Faut que je te laisse.

On se reparle plus tard.

Tu me tiendras au courant, OK?

Nad?

Tu es toujours là?

16

NADEIGE

C'est aujourd'hui que ça se décide. Je n'ai pas le choix d'agir rapidement. Il y a trop de choses qui se passent dans la vie d'Émy-Lee, ça urge que je revienne près d'elle. Elle s'est fait un chum… UN CHUM! Maxime-Alexandre, un gars assez sportif et plutôt cool, si on oublie le fait qu'il essaie toujours de ne faire de peine à personne. On dirait qu'il a peur que les autres ne l'aiment pas, s'il leur dit ce qu'il pense réellement. Mais à moi, on ne me la fait pas. Je vois bien qu'il n'est pas toujours sincère et je n'arriverais jamais à sortir avec un gars comme ça!

D'un autre côté, il est plutôt mignon et j'imagine que, si j'oublie le fait que je suis total envieuse de ma *best*, je peux concevoir qu'ils forment un beau couple… C'est ce que j'ai tenté de dire à Émy, la dernière fois qu'on s'est écrit, mais, d'après moi, elle n'y a pas cru deux secondes. Pourtant, j'ai essayé de paraître sincère! Vraiment! Mais je n'ai pas le tour pour ces trucs-là…

En tout cas, il n'en demeure pas moins que je dois impérativement (joli mot, trouvé par nulle autre que moi, cette fois, dans le dictionnaire de scrabble du club) convaincre mes parents que le collège n'est pas bon pour moi. Et c'est pourquoi Nick viendra chez moi pas plus tard que CE soir ! Je l'ai invité à souper. Sans le dire à mes parents.

Ouais… ils vont flipper à l'os ! Nick va me suivre dans l'autobus (espérons que le chauffeur le laisse monter). Je n'ai pas de plan B et je doute qu'il soit facile à cacher dans un sac d'école, alors… croisons les doigts pour que le conducteur ne lui fasse pas de remarques !

D'ailleurs, voilà Nick qui arrive d'une démarche relaxe. (Rien à voir avec son look habituel.) Il a revêtu le manteau de cuir de son frère et a peigné ses cheveux dans les airs. Il a aussi pris la peine de se maquiller les yeux noir charbon. Trop dément. Il est parfait ! Je suis si contente de le voir, accoutré de la sorte, que je me retiens pour ne pas lui sauter au cou. (Il ne faudrait pas charrier non plus, moi et les contacts physiques, ça fait deux…)

Arrivé à ma hauteur, il me salue d'un geste vague de la tête et pose la main sur ma taille, pour m'attirer plus près de lui. Nous sommes presque de la même grandeur (il me dépasse à peine), alors c'est un peu étrange. Et désagréable. Je voudrais le repousser, mais il murmure à mon oreille.

— C'est plus crédible si on fait comme si on était déjà ensemble. On pourrait même s'embrasser, tout à l'heure, si tu…

— JAMAIS DE LA VIE ! Non mais, ça ne va pas bien dans ta tête ?! Je ne vais pas t'embrasser ! Ni ici, ni chez moi !

Nous sommes à deux pas de l'autobus et les autres élèves passent dans mon dos, pour grimper à bord. Juste au moment où je réussis à me débarrasser des mains baladeuses de Nick, Sasha arrive en courant et stoppe net. Je lui lance un regard gêné et il fronce les sourcils, avant de me demander :

— Dis, ça va ? Il ne t'embête pas, j'espère ?

Je voudrais lui répondre, mais Nick me devance et me reprend par la taille pour me coller contre son torse.

— Je ne vois pas comment je pourrais la déranger, puisqu'on sort ensemble…

Je vais l'étriper, cet idiot ! Il ne comprend rien à rien ! Je ne veux pas faire semblant que nous sommes un couple à l'école, je veux juste faire flipper mes parents.

— Vous sortez ensemble ? répète Sasha, d'une voix neutre.

Sans afficher la moindre émotion. Comme si toute cette histoire lui était indifférente. Comme si MOI, je lui étais indifférente. Je serre les poings et me retiens de ne pas foutre une bonne raclée à Nick. Il me tripote un peu trop à mon goût, mais je me contente de secouer la tête. Mon « supposé » chum en rajoute une couche.

— Ouais, on a eu le coup de foudre dès qu'on s'est vus. Et ce soir, je m'en vais rencontrer ses parents. Après, on va se faire du fun en sortant toute la soirée ! Hein, bébé ?

Sasha cligne des yeux, puis son regard vient se poser sur moi. Très calmement. On dirait presque qu'il essaie de se contrôler et de ne pas perdre son sang-froid. Je soupire et m'éloigne pour la seconde fois de Nick, à qui j'explique qu'il va falloir monter dans le bus, si on veut finir par partir. Je le pousse vers la porte et il grimpe, toujours de sa démarche cool et relax. Il commence sérieusement à me taper sur les nerfs.

Je le suis et dépasse Sasha, mais celui-ci m'empoigne le bras, pour m'empêcher d'aller plus loin.

— C'était lui, ta *date* de l'autre jour ? Tu me niaises, j'espère ? Le coup de foudre, vraiment… ?

Je secoue la tête, sans rien dire. Qu'est-ce que je pourrais ajouter, de toute manière? J'ai beau dire que Sasha est un crétin, au fond de moi, je sais très bien que c'est faux et qu'il ne se laissera pas avoir. Je tire sur mon bras, mais il me retient d'une poigne si forte que je me demande si je ne vais pas avoir des bleus... On dirait qu'il a de plus en plus de misère à contrôler sa colère et sa voix tremble, quand il reprend :

— Je ne sais pas ce que tu mijotes encore, mais je t'avertis, si c'est encore une de tes petites manigances, tu n'as pas choisi le bon type. C'est loin d'être une lumière, ce Nick! Tu ne vas quand même pas passer la soirée avec lui!

— Je fais ce que je veux, tu sauras, et je ne te dois absolument rien! dis-je en laissant enfin éclater ma colère. Je n'ai pas le choix. Il me fallait quelqu'un pour...

— Pour quoi, au juste? Tu évites toujours de répondre à ma question. Qu'est-ce qui t'attire donc tant, dans ton ancienne école, que tu ne peux pas retrouver ici? C'est une histoire de gars, c'est ça?

— Tu n'y es pas du tout! C'est pour... Je ne peux pas te le dire! Tu ne comprendrais pas, de toute façon. Lâche-moi, s'il te plaît. Tu me fais mal...

La pression sur mon bras disparaît aussitôt et Sasha passe sa main en douceur sur ma peau. Celle-ci est effectivement un peu rouge.

— Je suis désolé, marmonne-t-il sans oser me regarder dans les yeux. Mais j'aimerais ça que toi et moi… on ne soit pas toujours en train de se disputer. En fait, si tu pouvais juste dire à cet imbécile que c'était une blague, qu'il ne t'intéresse pas vraiment, ce serait bien. Que tu le vires. Que tu me donnes ton numéro de téléphone et que ce soir, ce soit moi qui passe la soirée avec toi…

Il a relevé les yeux pour terminer sa phrase. Je fonds littéralement quand il me regarde comme ça. Et qu'il s'approche. Mais la voix du chauffeur me ramène à la réalité. Dans mon univers où je ne peux pas sortir avec qui que ce soit, car, dans quelques semaines tout au plus, je ne viendrai même plus au collège. Je ne veux pas souffrir en quittant cette école. En m'éloignant de lui.

Alors je secoue la tête et je grimpe en vitesse dans le véhicule. Je me dépêche de retrouver Nick, qui m'attend avec le bras posé sur mon dossier. Je me glisse près de lui et ne jette même pas un regard à Sasha quand ce dernier passe à ma hauteur.

Je viens encore de le décevoir. Mais c'est pour notre bien à tous les deux…

✳ ✳ ✳

Mes parents nous accueillent exactement comme je l'espérais : c'est-à-dire en passant proche de s'étouffer. Ma mère n'est pas de bonne humeur (elle aurait préféré que je lui annonce à l'avance) et mon père se contente de lisser sa moustache, preuve qu'il est nerveux. Il faut dire que Nick met vraiment le paquet. À la fin de la soirée, il aura amplement mérité ses cent dollars, lui ! Si seulement il pouvait arrêter d'essayer de m'embrasser toutes les deux minutes !

Pour le moment, mes parents nous ont laissés tranquilles dans le salon (interdiction formelle d'aller dans ma chambre…). Mais je suis certaine que maman nous épie pendant qu'elle fait la vaisselle et papa n'est sûrement pas en train de lire son journal. Il doit plutôt nous espionner, lui aussi. Pour leur en donner plein la vue, j'accepte d'aller m'asseoir tout près de Nick et de faire comme si nous avions des tas de choses à nous murmurer à l'oreille. Dans les faits, je lui demande juste d'enlever sa main de sous mes fesses, parce que je trouve qu'il va trop loin.

— Quand je rentre dans un rôle, je me donne complètement. C'est ça, être un acteur. On ne fait rien à moitié, tu sais. Je pense d'ailleurs que c'est le bon moment pour enfin se donner un bec.

— Non, au contraire. Je crois que...

Mais je n'ai pas le temps de terminer ma phrase que Nick m'agrippe par la nuque et me tire vers lui, pour me donner un baiser brutal. Rien n'est agréable dans le fait de l'embrasser. Ses dents cognent sur les miennes et son souffle chaud me donne la nausée. En plus, c'est mon premier baiser... Pas de quoi en garder un souvenir mémorable ! C'est ma mère qui me sauve la vie en pénétrant dans le salon, les mains ruisselantes d'eau de vaisselle, comme si elle cherchait quelque chose. (*C'est ça, maman, tu es tellement subtile...*)

Nick s'éloigne et me fait un mouvement de sourcils zéro attrayant. J'ai comme une légère envie de vomir, d'ailleurs. Pour ne pas m'exécuter sur le sofa, je ravale le tout (*ouache !*) et saute sur mes pieds. Une fois debout, j'empoigne la main de mon « chum » et l'incite à se lever à son tour.

— Bon, puisque nous sommes vendredi, Nick et moi on a prévu de sortir un peu.

— Sortir, mais où ça ? Pour faire quoi ? me questionne mon père, qui a baissé son journal.

— On va juste aller se promener dans le voisinage. N'est-ce pas, Nick?

Ce dernier hausse les épaules, toujours dans son «personnage», pour indiquer que rien ne le dérange. Sans donner plus d'explications, je l'entraîne vers l'entrée où nous nous habillons en vitesse. Mes parents ont à peine réagi que nous sommes déjà dehors, où il fait un froid de canard.

Nick ne le sait pas encore, mais j'ai bel et bien prévu quelque chose pour la soirée. Je fouille dans la poche de mon manteau, là où j'ai caché l'arme du crime, et me dirige résolument vers la clôture de notre second voisin. Pas le premier, parce que je vais souvent garder son fils et qu'il est vraiment gentil. Mais dans la deuxième maison, c'est un vieux monsieur qui passe son temps à se plaindre du bruit et puisqu'il nous faut une victime, aussi bien que ce soit lui.

Je lève mon arme. À savoir: une bombonne de peinture rouge. Puis, j'inscris en grosses lettres:

NiCK + NAD FOREVER

Lorsque je redescends le bras et me tourne vers mon complice, celui-ci a le visage complètement ébahi et me regarde comme si j'étais Satan incarné.

— Allez, viens, on va retourner chez moi, maintenant, lui dis-je en lançant la bombonne par terre.

— Mais c'est quoi ton problème ?! Tu viens d'écrire nos deux noms. C'est clair qu'on va se faire prendre !

— C'était un peu ça le but, tu sais…

— Il me semble que tu aurais pu me le demander avant, non ?

— Ce n'est pas toi qui disais que, lorsque tu entres dans un rôle, tu te donnes à fond ? Respecte ton personnage, Nick, et joue le jeu. C'est juste un petit graffiti, de toute manière !

— Un graffiti, c'est illégal, au cas où tu ne le saurais pas ! Si un jour je veux être engagé dans une grande troupe de comédiens et voyager à travers le monde, je ne DOIS PAS avoir de dossier criminel ! Il va falloir nettoyer tout ça.

— Pas question !

— Si tu ne veux pas le faire, c'est moi qui vais m'en charger. Mais je te préviens, ça va te coûter le double !

Je soupire en le voyant commencer à frotter la peinture avec la manche de son manteau. Il s'en met partout sur lui et je finis par le prendre en pitié. Grrr… Je ne peux pas le laisser faire sans rien dire. Je vais devoir l'aider. À deux, nous

réussissons à rendre la façade de la clôture à moitié présentable. Il reste bien un peu de rouge,
mais ça paraît à peine.

Dès qu'il a terminé, Nick se tourne vers moi
et tend une main.

— Quoi ?

— L'argent. Je veux mes cent dollars tout de
suite, parce que je m'en vais. Ce n'est pas vrai que
je vais passer le reste de ma soirée avec une folle
finie !

— Je ne suis pas une folle finie ! C'est toi qui
es un peureux ! Même pas capable de finir le travail. Tu mériterais que je ne te donne que la moitié des sous.

— Un contrat est un contrat, Nadeige. Et si
tu ne me donnes pas mon argent maintenant, je
vais te faire la vie dure.

— Ah ouais ? Et qu'est-ce que tu ferais ?

Il réfléchit quelques secondes à peine avant
de me lancer tous les trucs idiots qu'il me ferait
subir. Parmi ceux-ci, il n'y en a qu'un seul qui
retient mon attention.

— … et on a en masse de poil à gratter dans
nos accessoires pour te faire faire de l'eczéma
durant une année ! Tu vas tellement te gratter
que…

— Stop ! Qu'est-ce que tu viens de dire ?

— … Tu vas tellement te gratter que…

— Pas ça, avant!

— Qu'on avait du poil à gratter?

— OUI! Dis-moi, est-ce que tu accepterais de m'en donner un peu?

— T'es sérieuse?

Je hoche la tête. Je viens d'avoir une idée incroyable. Je sens qu'avec la visite de Nick aujourd'hui, en plus de mon nouveau plan, mes parents n'auront plus le choix. Je vais retourner à mon ancienne école en moins de deux!

Nick m'observe un instant, en murmurant:

— T'es une fille tellement bizarre…

Ce à quoi je rétorque, sourire aux lèvres:

— Merci, c'est trop gentil!

Au même moment, le cri de mon voisin résonne à nos oreilles. Nous prenons la POUDRE d'escampette pour ne pas nous faire attraper…

À : Emy-Lee_Samson@coolmail.com
De : Nad@coolmail.com
Objet : Ça me pique

J'ai absolument besoin de tes conseils d'experte. Bon, tu n'es pas une experte du grattage, ce n'est pas ce que je veux dire, mais écoute bien (ou plutôt, lis attentivement ce qui suit), tu vas comprendre...

Ça me pique partout depuis un certain temps! Penses-tu que je fais de l'eczéma? J'ai la peau rouge et j'ai juste une idée en tête : me gratter! Je pense sérieusement en toucher un mot à ma mère, parce que ça ne va plus du tout. Crois-tu que ça pourrait être le savon à lessive?

Je ne sais plus quoi faire...

Nad
Ta *best* (Oh et en passant, Nick et moi, ça ne marchera pas, c'est un idiot doublé d'un peureux qui ne pense qu'à l'argent. Je t'en reparlerai plus en détail au téléphone.)

À : Nad@coolmail.com
De : Emy-Lee_Samson@coolmail.com
Objet : RE : Ça me pique

Si tu as de la difficulté à respirer, compose tout de suite le 911.

Bon. Tu es toujours là ? Ça veut dire que tu respires encore. C'est bon signe. Hi, hi ! J'ai fait quelques recherches pour toi sur Internet et je dois te poser une question délicate… Ton Nick… cet idiot doublé d'un peureux qui ne pense qu'à l'argent… est-ce qu'il peut t'avoir transmis quelque chose d'étrange ? Du genre : des puces, des poux, de la moisissure, des poils de chat, de chien ou de hamster ?

Sinon, c'est peut-être à cause de SON savon à lessive. (Seul un rapprochement physique de longue durée aurait pu déclencher une réaction si intense… aurais-tu quelque chose à me dire ?)

Dans le pire des cas, on peut penser à un parasite ou à la gale.

Ne prends pas de risque, va voir ton doc. Et surtout, SURTOUT, tiens-moi au courant.

Émy-Lee
(Qui va continuer ses recherches en attendant de tes nouvelles)

À : Emy-Lee_Samson@coolmail.com
De : Nad@coolmail.com
Objet : RE : RE : Ça me pique

T'inquiète, je respire toujours. Et arrête tes recherches, je pense que j'ai trouvé la raison pour laquelle ça me pique : mon uniforme ! Faut absolument que j'en parle à ma mère. Je t'appelle dès que je le peux, faut que j'aille me gratter…

Nad
Ta *best* (couverte de pustules géantes !)

17

ÉMY-LEE

L'entraînement d'aujourd'hui est particulièrement difficile. On dirait qu'Alicia prend plaisir
à nous faire souffrir. Surtout moi.

Je sais qu'elle m'en veut. Elle considère mon
départ du club comme un manque de loyauté
impardonnable. Il a fallu que j'insiste auprès de
la direction pour qu'elle me donne la permission
de réintégrer l'équipe. Non mais! Ça suffit, l'ex-
cès de contrôle! Évidemment, j'ai obtenu gain
de cause, alors aujourd'hui je paie le prix de ma
désertion, si courte puisse-t-elle avoir été. Mais je
m'en sors plutôt bien, malgré tout. On dirait que
mes jambes commencent à s'habituer à tous ces
exercices.

Sans grande surprise, j'ai vite constaté que
Tania et Gaby n'étaient pas enchantées de me
voir débarquer, elles non plus. J'ai eu droit à leurs
airs supérieurs, à leurs blagues stupides et à leurs
moqueries incessantes, jusqu'à ce que…

Je ne peux pas m'empêcher de sourire!

… Jusqu'à ce que Maxime-Alexandre inter-
vienne. Il leur a demandé de me ficher la paix et

de se concentrer sur leurs performances si elles ne voulaient pas que je les batte à la première compétition de l'année. Bouche bée, Tania a tourné les talons en entraînant Gaby avec elle. Les deux vipères n'ont pas osé m'insulter depuis ce jour.

Hé, hé !

Même si on passe un peu plus de temps ensemble, Maax et moi, on ne s'est pas encore affichés publiquement. Je lui ai proposé qu'on ne presse pas trop les choses afin de ne pas éveiller les soupçons. Tout le monde se poserait des questions si on formait un couple du jour au lendemain, alors le mieux est qu'on se rapproche peu à peu.

De toute façon, pour être honnête, ça me fait un peu peur. Je ne sais pas trop comment m'y prendre pour jouer la fausse blonde.

— OK, tout le monde, commande Alicia, à la toute fin de l'entraînement. On se fait une petite course à relais et après, je vous laisse partir. Formez les équipes et installez-vous. Les premiers coureurs, prenez position sur les blocs de départ.

Maax s'installe sur le bloc à côté de moi et me fait un clin d'œil complice.

— Je suis particulièrement en forme, aujourd'hui, lui dis-je, un brin de malice dans la voix. Prépare-toi à saluer mon dos pendant la course.

— Ça me va, réplique-t-il, avec la même bonne humeur. Tu es très belle de devant comme de dos.

Mes jambes tremblent. Je sais que c'est le genre de commentaires que Maax doit me faire pour montrer son intérêt, n'empêche que ça me chamboule un peu. Je donnerais n'importe quoi pour qu'il y ait un soupçon de vérité dans tout ça.

Au coup de sifflet, je m'élance. J'ai l'impression d'avoir des ailes tellement j'avance vite ! Wow ! Quelle sensation ! J'exécute mon tour à une vitesse jamais égalée et je passe le relais à ma coéquipière. Puis, je m'éloigne de mon corridor pour reprendre mon souffle.

Maax est à côté de moi, le corps penché vers l'avant. Il cherche son air, lui aussi, pendant que les autres terminent la course.

— Bravo, Émy-Lee, halète-t-il. C'était un super départ.

— Merci.

— Si tu cours comme ça à la compé, il y a des chances pour que l'équipe des filles remporte une médaille.

— Tu crois ?

— Pourquoi pas ? Tu t'es vraiment améliorée, depuis le début de l'année. Je te trouve super bonne.

— Merci, lui dis-je en posant une main sur son bras.

Mon geste a l'effet escompté. Gaby fronce les sourcils en découvrant notre soudaine complicité et donne un coup de coude à Tania, qui ne cache pas son étonnement.

Comme pour les impressionner davantage, Maxime-Alexandre fait un pas dans ma direction et écarte une mèche de mon visage pour la replacer derrière mon oreille. Torbinouche qu'il est beau ! Et gentil. Et attentionné. J'en frissonne de partout.

— Allez, va te changer. Je te raccompagne chez toi, me dit-il enfin.

Ça fait un peu « réplique de film », mais c'est efficace. Tout le monde nous regarde. Dès demain, les rumeurs circuleront à notre sujet et Juliette se posera des questions sur ce qu'il y a entre Maax et moi. Notre plan fonctionne à merveille.

Quelques minutes plus tard, on marche côte à côte en direction de ma maison.

— Tu veux que je porte ton sac de sport ? me propose mon galant faux chum. Il a l'air vraiment lourd.

— Tu n'as plus besoin d'être si gentil avec moi, tu sais. Les autres sont loin, à présent.

Maax arrête de marcher. Je l'imite. Il agrippe la ganse de mon sac, l'enlève en douceur de mon épaule et la passe par-dessus sa tête.

— C'est mieux comme ça, non ?

— Oui.

— Que les choses soient claires, annonce-t-il en me fixant avec sérieux. J'ai le droit d'être gentil même si on est juste tous les deux, c'est compris ?

— Si tu veux.

Ça y est, mon imagination s'enflamme. Se pourrait-il que Maax me trouve un peu intéressante ? Pourtant, je ne fais pas partie de celles qui ont le plus de sujets de conversation. Je déblatère toujours des trucs inintelligibles !

— Tu sais que le fait de manger des avocats peut aider à combattre l'acné ? Mais il ne faut surtout pas les mélanger avec des tomates, parce que ça peut entraîner des infections urinaires.

Maxime-Alexandre se mord la lèvre pour ne pas éclater de rire.

— On se retrouve seuls tous les deux et tu as envie de parler d'infections urinaires ?

Je suis pathétique ! Je sais !

— Non. Pas vraiment. Désolée.

Je dois trouver autre chose et vite! Je propose donc, en reprenant la route :

— Qu'est-ce que tu dirais si on mettait au point les derniers détails de notre vol à l'étalage ?

— J'en dis que c'est une très bonne idée, approuve mon complice, en me suivant pas à pas. Je me demandais justement si tu avais changé d'avis.

— Pourquoi j'aurais changé d'avis ?

— Tu ne m'en as pas reparlé depuis notre rencontre à la pâtisserie, alors j'ai cru que tu voulais laisser tomber.

— Je ne pouvais pas vraiment t'en parler. Ta sangsue est toujours collée sur toi !

Maax approuve d'un hochement de tête.

— Tu as raison. Je n'ai pas une minute à moi quand je suis à l'école. Tu m'avais prévenu qu'elle était tache, mais je ne pensais pas qu'elle pouvait être si intense. Tiens, je devrais te laisser mon numéro de téléphone. Comme ça, on pourra se parler en dehors de l'école.

— C'est une bonne idée.

Je me retiens pour ne pas hurler de joie ! J'ai le numéro du plus beau gars de l'école !

— Et si tu veux, je peux continuer à te raccompagner après les entraînements.

— Ça aussi, c'est une bonne idée.

Trop, trop, trop une bonne idée! De tous les plans imaginés jusqu'à présent, celui-ci est de loin mon préféré. Qu'il fonctionne ou pas, au final, ça n'a pas d'importance. Au moins, il nous permettra de passer plus de temps ensemble.

— As-tu décidé où tu voulais aller pour commettre ton vol? me questionne-t-il.

— J'ai pensé à ça et je me suis dit que le magasin de monsieur Fréchette pouvait être intéressant.

— Pourquoi? Tu le connais personnellement?

— Non, mais mon père est toujours rendu là, alors ça risque de l'énerver encore plus que de n'importe quelle autre boutique en ville.

Maax ne semble pas convaincu.

— Qu'est-ce que tu veux voler dans une quincaillerie? Un tournevis?

— Pourquoi est-ce que je ne pourrais pas voler un tournevis? Parce que je suis une fille? Je ne te pensais pas si sexiste!

— Je blaguais, voyons! Je suis mal placé pour me moquer de toi, je n'arrive même pas à me servir d'un marteau.

— Pour vrai?

— Pour vrai.

Je prends quelques secondes pour analyser sa réponse.

— Hum… Tu n'es peut-être pas digne d'être mon petit ami, alors.

Maxime-Alexandre me fait une grimace et réplique :

— Je ne te pensais pas si sexiste !

Bien envoyé !

Pendant le reste du trajet, on planifie notre aventure, on discute de tout et de rien, on fait des blagues. Une fois la nervosité passée, je constate que j'avais tort de m'en faire autant. Se retrouver seule avec un garçon, ce n'est pas si pire que ça, après tout.

Salut Émy! Tu fais quoi?

Minute, je suis avec Maax au téléphone.

Ah... OK, j'attends, alors...

...

Mais c'est long...

...

... de plus en plus long...

...

Youhou! Tu es encore là? Parce que si tu jases encore longtemps avec ton Maax, je vais aller faire autre chose!

On s'était promis de ne jamais passer après nos chums, tu te rappelles?!

Oui, désolée. Je suis là, je viens de raccrocher.

287

Oh! Si tu savais comme il est parfait, Nad!
Il est beau, il est gentil, il porte mon sac
après les entraînements, il m'appelle tous
les soirs pour me souhaiter bonne nuit!
J'aurais dû tomber en amour bien avant
aujourd'hui, c'est TROP intense!

Donc, c'est officiel, vous sortez ensemble.
Et tes parents, ils en pensent quoi?

Euh… Ben… en fait, je ne l'ai
pas encore dit à mes parents.

Je n'ai pas envie de me taper (pour une
centième fois) la conversation mère-fille sur
«comment-bien-me-comporter-avec-un-
garçon-ET-agir-de-façon-responsable-ET-
me-respecter-dans-mes-choix-pour-demeu-
rer-une-jeune-fille-heureuse-et-épanouie».

Plus capable!

Pfff! J'imagine ta mère te sortir
ses beaux discours!

Hé! J'ai une idée! On devrait faire
quelque chose ensemble, tous les trois.

Aller au cinéma ou aller jouer aux quilles.
Ça serait le fun, non?

Sérieux? Juste nous trois? C'est parce que j'aurais vraiment l'air du chaperon! Pas sûre que ça me tente…

Ben non! Tu ne serais pas notre chaperon, voyons!

On sortirait entre amis, c'est tout.

Justement, je n'ai pas besoin de me faire de nouveaux amis, tsé!

Je t'ai, TOI! Et déjà qu'on ne se voit presque jamais… 🙁

Ouin…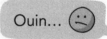

OK, d'abord. Mais tu vas venir à ma compé, dans deux semaines?

Oui! J'ai hâte de voir de quoi tu es capable!

Tu vas m'entendre t'encourager dans les gradins, c'est certain!

Rien ne me fera rater ça.

Cool! Parce que je sens que je vais VRAIMENT avoir besoin de toi!

Tu n'as pas idée à quel point ça me rend nerveuse… (MOI dans une compétition d'athlétisme! Qui aurait pu prédire un truc pareil?)

Au fait, changement de sujet: on a parlé de toutes sortes de choses dans les derniers jours, mais tu ne m'as toujours pas expliqué ce qui s'est passé entre Nick et toi. Serais-tu en train d'éviter le sujet?

Bof, il n'était vraiment pas mon genre, en fin de compte.

Je t'avais dit qu'il faisait du théâtre, ou non?

Non. Du théâtre? Hum… en plein ton style, ça! Hé, hé!

En tout cas, il se prenait pour un autre et mes parents ne l'ont pas aimé, quand ils l'ont rencontré.

Ne me dis pas qu'il s'est planté sous ton balcon pour réciter le texte de *Roméo et Juliette*?

Ha! Ha! Très drôle…

De toute façon, je ne veux pas me faire de chum.

Je suis très bien toute seule. J'ai assez de préoccupations avec mes devoirs, les examens et ce collège que je déteste…

… Et ta BFF que tu ne vois presque plus. Mais t'inquiète! On va trouver une solution.

On trouve TOUJOURS une solution, toutes les deux.

Tu as raison, je dois essayer d'être plus positive.

Mais pour le chum, c'est quand même NON!

Faut que je te laisse, ma mère veut que j'aille faire mon lavage (grrr).

On se rappelle plus tard!

18

NADEIGE

Mes parents n'osent pas me reparler de Nick. Comme si sa présence dans notre maison n'avait été qu'un mirage. Et moi qui espérais recevoir leurs remontrances ! Je suis déçue. Habituellement, ils sont les premiers à me dire que celui-ci ou celui-là n'est pas un bon exemple pour les jeunes. Surtout lorsque l'on regarde la télévision en famille. Alors là, ils y vont à fond de leurs commentaires sur le look des artistes d'Hollywood ou sur les paroles de leurs chansons. Mais pour Nick… rien du tout.

Alors j'ai décidé de prendre les grands moyens. Je ne vais quand même pas me laisser décourager par mes parents qui sont incapables de voir que je fréquente des bums ! Pas moyen d'attraper une punition, de nos jours ! C'est pourquoi j'ai dû rendre une petite visite au service de ravitaillement (merci, Émy-Lee) illégal de mon merveilleux collège (attention, sarcasme). J'ai trouvé diverses choses pouvant me servir, dont une en particulier.

Et c'est évidemment Nick qui a réussi à m'en procurer. Non, je ne parle pas de drogue! Ni de contrebande d'alcool. Encore moins d'armes. (Ben voyons, vous me prenez pour qui?) Pas de panique, il ne s'agit de rien de «vraiment» illégal. Mais il fallait que je me procure cette poudre sans que quiconque s'en rende compte non plus. Sinon, mon plan n'aurait pas fonctionné. Et je commence sérieusement à être tannée que toutes mes combines tombent à l'eau!

Hier, en entrant dans la cafétéria, avant même d'aller rejoindre Delphine à notre table, j'ai croisé le regard de Nick. Celui-ci m'a fait signe qu'il avait réussi à me procurer cette fameuse poudre...

C'est Nick qui m'a donné cette idée (bien malgré lui). Quand il m'a menacée d'en mettre dans mes vêtements, je me suis aussitôt dit que c'était une excellente idée! Si je me plains à mes parents que mon uniforme me pique, ils ne vont pas me croire. Mais si je fais une ÉNORME réaction allergique (à cause de la poudre), ils n'auront pas le choix de constater que je dis la vérité (bon, une vérité un peu trafiquée, mais quand même...). En plus, pour que ça fasse encore plus sérieux et que personne ne s'imagine que c'est arrangé, j'ai même commencé à faire croire à Émy-Lee que mon uniforme me donnait des démangeaisons. Je déteste devoir lui mentir, mais c'est pour une bonne cause.

Pour que personne ne remarque notre transaction, je me suis dirigée vers lui, j'ai passé devant sa table et nos mains se sont touchées (à peine un effleurement). Juste le temps qu'il me donne le petit sac en plastique. Et que je lui remette les billets roulés pour payer le tout.

Avec les cent dollars que je lui ai refilés pour sa prestation de l'autre soir, il ne restait presque plus rien dans ma tirelire. Alors j'ai été obligée d'aller garder mon petit voisin quelques soirs pour ramasser cette somme. Je commençais à désespérer d'y parvenir. C'est que Nick est plutôt «gratteux» et il en demande toujours plus. Franchement, cinquante dollars pour du poil à gratter! C'est du vol!!!

Je dois donc prendre mon courage à deux mains et saupoudrer mon chandail, ma jupe et mes collants avec le plus de poudre possible. J'ai étendu les morceaux sur mon lit et je m'exécute en me bouchant le nez (car la poudre vole dans les airs et je suis à deux doigts d'éternuer).

Une fois cela fait, je prends une grande inspiration et enfile le tout. C'est aujourd'hui que mon avenir va se jouer. Dès que les vêtements collent à ma peau, je sens venir la démangeaison. Fière de mon coup, je me rends à la cuisine pour affronter ma mère. Je m'assois devant elle et commence à me gratter. Fort. Avec intensité. C'est que ça fait vraiment mal.

— Voyons, ça ne va pas? me demande ma mère en posant les yeux sur moi.

— Je ne sais pas ce que j'ai, mais depuis quelque temps, ça me pique dès que je m'habille.

Et pour appuyer mes dires, je me frotte le bras, le cou et les jambes de plus en plus vigoureusement. Ma mère hausse un sourcil, se lève et s'approche de moi.

— C'est vrai que ton cou est plutôt rouge. Peut-être que tu es allergique au détergent que j'utilise.

Mon père entre alors à son tour dans la cuisine et nous observe, en se demandant pourquoi sa fille se tortille de la sorte tandis que sa femme lui inspecte le cou.

— Euh… tout va bien?

— NON!!! Je pense que je vais devenir folle!

Je sautille sur place, me gratte à des endroits que je ne peux pas nommer ici et me mets à suer de toutes parts. Si mes parents ne réagissent pas immédiatement, je vais me rouler par terre pour me gratter tout le corps en même temps. J'ai peut-être trop mis de poudre…?

— Ouh là là, ma grande, il y a vraiment quelque chose qui cloche. Chéri, aurais-tu changé le détergent de la lessive? Je t'avais écrit le nom de la marque que nous prenons toujours, quand tu es allé faire l'épicerie, pourtant!

— J'ai acheté celui qui était en spécial. Je ne pensais pas que…

— Bien sûr que non! Tu ne penses jamais à ce genre de détail, toi! Pire qu'un enfant, il faut tout te dire!

— Minute! Si tu n'es pas contente, tu iras les faire toi-même, les courses! réplique mon père sur la défensive.

Et la guerre est officiellement déclarée. Pendant que je gesticule, que je m'arrache la peau par lambeaux et que je deviens aussi rouge qu'un champ de canneberges, mes parents ne trouvent rien de mieux que de se disputer! Bravo pour mon plan toujours aussi génial. Sérieux, je commence à douter qu'un jour je parvienne à me faire renvoyer…

Ma mère se met à crier à la tête de mon père, qui pose durement sa tasse remplie de café sur le comptoir. Il échappe des gouttes partout et ma mère repart de plus belle en se plaignant que c'est elle qui fait tout le ménage ici! Mon père riposte sûrement quelque chose d'intelligent, mais je ne les écoute plus, car je me suis précipitée dans la salle de bain. J'ouvre le robinet de la douche et me place sous le jet sans même prendre la peine de retirer mes vêtements.

C'est comme ça que ma mère me trouve, quelques minutes plus tard: assise dans le bain, les jambes recroquevillées contre ma poitrine, l'eau coulant encore et encore sur moi. Ça me démange un peu moins, mais la poudre à gratter n'est décidément plus une option. Je devrai encore trouver autre chose...

Peut-être que Sasha a raison. Peut-être que je pourrais me confier à lui et lui demander de m'aider. Puisqu'il est si malin, il pourrait finir par trouver LA solution. Et il comprendrait enfin pourquoi on ne peut pas être ensemble, lui et moi.

Je suis vraiment à court de ressources, pour envisager de m'en remettre à lui.

✳ ✳ ✳

Ma mère insiste pour que j'aille tout de même à l'école aujourd'hui. Malgré ma méga crise d'eczéma. En plus, il a fallu que je lui avoue pourquoi mes vêtements m'avaient mise dans cet état… Elle se doutait de quelque chose et je n'ai pas été capable de lui mentir. Résultat : je suis en punition pour UNE semaine ! Je ne pourrai donc pas voir ma *best* le week-end prochain ! Ni l'encourager à sa compétition… Je suis trop en colère pour exprimer tout ce que je ressens. J'ai beau tout faire pour me rapprocher d'elle, rien ne marche et pire encore : ça se retourne contre moi !

Comment je vais faire pour lui annoncer ça ? Elle va m'en vouloir à mort ! Je ne peux juste pas lui dire tout de suite. Je vais attendre encore un peu. Peut-être même que je finirai par trouver l'excuse parfaite… Ou faire changer mes parents d'avis !

En ce qui concerne ma peau, elle est redevenue d'une couleur quasi normale après ma douche d'une heure et demie. Mais j'ai encore des taches rouges dans le cou. De loin, on pourrait croire que ce sont des suçons… (Le genre de trucs que je ne laisserais JAMAIS un gars me faire !) Alors je décide de porter une chemise (qui a échappé à l'expérience « poudre toxique ») et une cravate. Ça devrait faire l'affaire. (Même si je suis HORRIBLE !)

Mon père vient me reconduire et je descends de sa voiture alors que la cour d'école est silencieuse. Les élèves sont en classe et l'heure du dîner n'a pas encore sonné. Je vais être en retard et je déteste cela. En plus, j'ai géo en troisième période. Dès que je mets les pieds dans le local, Noémie la greluche soupire à fendre l'âme, comme si je l'empêchais de se concentrer. Le prof me fait de gros yeux et m'invite à m'asseoir, une fois que je lui ai remis le papier du directeur pour mon retard.

Mon pupitre est voisin de celui de Sasha, qui me demande silencieusement si ça va. Parler en silence est un art que je ne maîtrise pas très bien avec d'autres personnes que ma BFF. C'est pourquoi l'enseignant nous interrompt et nous menace de nous donner des points. (Oh *non*! Pas encore!) Sasha se tait immédiatement, mais Noémie profite du fait que le prof nous tourne ensuite le dos pour se pencher vers moi (elle est juste derrière moi) et pour relever mes cheveux, afin de vérifier... la couleur de mon cou!

— Hé! Lâche-moi! Qu'est-ce que tu me veux?

— Relaxe, je me demandais juste si c'était bel et bien des suçons, que tu avais sur la peau. Je ne savais pas que tu avais un chum...

C'est avec impatience que le professeur fixe de nouveau son attention sur moi.

— Mesdames, pourrions-nous revenir au cours? Et Nadeige, cette fois, c'est assez. Je te donne trois points pour insolence en classe.

— Mais, c'est Noémie qui…

— Chuuuut! Sinon, je te donne deux points de plus! Merci…

Je me tais. Pour de bon, cette fois. Mais je sens le regard de Sasha qui ne me lâche pas une seconde. Il est plus que temps que j'aie une bonne conversation avec lui. Sinon, il va encore s'imaginer des tas de trucs.

Pourquoi est-ce toujours lorsque l'on a des milliers de choses à régler que nos cours nous semblent interminables?

À : Emy-Lee_Samson@coolmail.com
De : Nad@coolmail.com
Objet : Réaction allergique

Je suis hideuse ! Le corps couvert de plaques qui pèlent et qui me piquent. J'ai fait une réaction allergique de fou. C'est à cause de mon uniforme, comme je le craignais, aussi… Ma mère dit que c'est plutôt le savon pour laver le linge. En tout cas, elle m'a quand même obligée à aller en classe ! J'ai eu l'air d'une belle dinde, avec mes taches dans le cou.

Une certaine greluche (cette fichue Noémie) a même cru que c'était parce qu'un gars m'avait fait des suçons, tu imagines !? Sasha me boude et ne me parle plus, à cause de ça. Ce qu'il est susceptible…

En tout cas, j'ai hâte de te montrer les dégâts. Je sens déjà que tu vas me parler d'une crème miracle pour me soigner. Tu t'y connais, en médicaments de toutes sortes…

Nad
Ta *best* (bel et bien allergique)

À : Nad@coolmail.com
De : Emy-Lee_Samson@coolmail.com
Objet : RE : Réaction allergique

Des suçons ? Toi ? Permets-moi de rire ! Hi, hi ! Je t'imagine très mal avec des suçons dans le cou ! La greluche ne te connaît vraiment pas pour dire des trucs pareils !

Excuse-moi, ce n'est pas drôle, en fait. Je suis désolée que tu sois couverte de plaques. Mais, dis-moi, qu'est-ce que Sasha a à voir là-dedans ? Je croyais que tu le détestais... et qu'il te détestait... Sérieux, je ne comprends plus rien à tes histoires !

Côté crème, j'en ai des tas ! Je suis sûre que je vais trouver quelque chose pour t'aider. En attendant, prends un bain tiède avec des flocons d'avoine. Ça va soulager tes démangeaisons.

Émy-Lee
(Qui va vite te trouver un remède miracle)

À : Emy-Lee_Samson@coolmail.com
De : Nad@coolmail.com
Objet : RE : RE : Réaction allergique

J'ai parlé de Sasha, moi ? Ah, c'est parce qu'il m'énerve avec ses commentaires plates, c'est tout. Je passerai chez toi dès que je le peux pour t'emprunter un de tes milliers de pots de crème. En attendant, je vais aller prendre un bain, comme tu me le suggères. On verra bien...

Nad
Ta *best* (qui se gratte)

19
ÉMY-LEE

Je crois que je n'ai jamais été aussi nerveuse de toute ma vie. J'ai chaud, j'ai froid, et tout de suite après, j'ai encore plus chaud! J'espère que c'est le stress qui me met dans cet état, sinon ça veut dire que j'ai un réel problème.

RÉSULTAT DE MES RECHERCHES SUR LE NET :

{ Sueurs froides = Soyez attentif! Il s'agit d'un symptôme important à ne pas négliger! }

PATHOLOGIES POSSIBLES :

- Hémorragie interne (À éliminer, puisque je n'ai subi aucun traumatisme physique dans les derniers jours.)
- Stress ou anxiété (Soyons honnêtes, c'est probablement mon cas étant donné ce que je m'apprête à faire.)

- Infarctus du myocarde (Peu probable, vu mon âge, mais on ne sait jamais. À surveiller: douleurs thoraciques, essoufflement, nausées et vomissements.)
- Ménopause (Ben là, faut quand même pas exagérer!)

Maax et moi avançons en direction de la boutique. Je fais tout mon possible pour ne pas attirer l'attention, alors je marche sur la pointe des pieds. Ça y est! Je vois le magasin! Il est là, devant nous, juste de l'autre côté de la rue.

Au lieu de traverser, mon complice s'arrête à l'intersection et se tourne vers moi.

— Pourquoi tu t'arrêtes?

— On a quelques petits ajustements à faire avant de commencer, m'explique Maxime-Alexandre.

— Ah oui? Quoi?

Il me regarde de la tête aux pieds, l'air découragé.

— Premièrement, enlève ta capuche.

Je m'exécute, même si je crois qu'il n'est pas très judicieux que mon visage soit à découvert.

— Retire aussi tes gants.

Là, je ne suis pas d'accord.

— Je ne veux pas laisser mes empreintes partout ! En plus, il fait super froid, dehors !

— On ne s'apprête pas à voler une banque, Émy-Lee. On s'en fiche de tes empreintes !

— Je vais être super facile à identifier, si ça continue !

— C'est justement ce qu'on veut, non ?

Maax a raison. Je n'ai tellement pas l'habitude de faire des mauvais coups que j'avais presque oublié le but de l'exercice. On DOIT me prendre la main dans le sac, sinon on aura préparé cette mise en scène pour rien.

J'ai l'impression que Maxime-Alexandre perçoit mon affolement, car il s'approche de moi, retire doucement les gants de mes mains pour les glisser dans ses poches et enlace ses doigts autour des miens. Ce contact tout simple me donne la chair de poule.

— Es-tu certaine de toujours vouloir le faire ? me demande-t-il, en m'observant avec attention.

— Je n'ai pas vraiment le choix…

— On a toujours le choix, Émy-Lee.

Je crois que je ne l'ai jamais vu avec un air aussi sérieux.

— Je sais, lui dis-je en baissant la tête. Si je pouvais faire autrement, je me sauverais d'ici en courant, sois-en assuré. Mais la situation est grave et je n'ai plus d'autres idées pour que mon plan fonctionne.

— Je peux t'aider, si tu veux.

Je l'interroge du regard.

— Quoi ? se vexe-t-il. Tu crois que je ne suis pas capable de trouver des idées tordues, moi aussi ?

— Mes idées ne sont pas tordues !

— Ah non ?

Il tourne la tête et me désigne le magasin de monsieur Fréchette d'un coup de menton.

— Oui, bon… Elles sont peut-être un peu tordues, dois-je avouer.

— Viens. Partons d'ici, propose Maxime-Alexandre. Je te paye un chocolat chaud, si tu veux.

Grrr ! Il cherche à me prendre par les sentiments.

— Avec un soupçon de menthe, ajoute-t-il, un sourire en coin.

— Et une brioche ?

— Et une brioche.

L'offre est tentante. Je donnerais n'importe quoi pour me retrouver à la boulangerie avec Maax plutôt qu'ici à me battre contre mon angoisse et mes doutes. Juste au moment où je m'apprête à accepter, des images de Nadeige me bombardent le cerveau. Je l'imagine sans moi, dans sa grande école privée, et ça me fend le cœur.

Je ferme les yeux et je déclare:

— Allons-y!

— Super! s'exclame mon complice. J'avais justement un petit creux.

Au lieu de tourner le coin de la rue en direction de la boulangerie comme il s'y attend, je traverse à l'intersection d'un pas assuré.

— Hé! Qu'est-ce que tu fais? Je croyais qu'on allait manger un morceau!

— Vas-y si tu veux, mais moi, je m'en vais braquer un magasin!

Je sens que Maax est déçu, mais je ne change pas d'idée. J'avance vers la boutique avec détermination. Le problème, c'est que cette détermination est accompagnée d'une trouille qui me colle à la peau et qui m'empêche de respirer normalement.

La main sur la poignée de porte, je reste figée un moment, le temps de retrouver mon souffle.

— On va y arriver, chuchote Maax à mon oreille.

Je ferme les yeux. Il est vraiment super, ce gars.

Sa présence me fait du bien. Entendre sa voix me fait du bien. Et surtout, sa main posée sur ma hanche me fait tellement, tellement de bien ! Je ne prends pas le temps d'analyser le « pourquoi » ni le « comment » de son geste, j'en profite, c'est tout. J'aurai tout le temps de me poser trente-six mille questions plus tard.

Les jambes un peu ramollies, j'ouvre enfin la porte et je me précipite à l'intérieur de la boutique, prête à devenir un escroc sans scrupules.

Derrière le comptoir, un homme lève un œil dans notre direction. Oh ! Torbinouche ! C'est lui, monsieur Fréchette ? Selon mon plan, j'imaginais un homme gentil, accueillant et qui sent l'eucalyptus. Je sais, c'est ridicule, mais ça sent bon, l'eucalyptus. C'est réconfortant et, en plus, ça a des vertus thérapeutiques qu'il ne faut pas négliger.

Tout ça pour dire que je me suis trompée à deux cents pour cent ! J'ai devant les yeux une sorte de colosse tatoué de partout avec une chaîne autour du cou. Il va me tuer, c'est certain !

— Je peux vous aider ? demande-t-il en voyant mon hésitation.

C'est bon. Tout va bien. Je dois rester naturelle.

— Bonjour ! Je viens acheter un tournevis. Avec de l'argent. J'ai de l'argent, vous savez ? Je suis une fille honnête.

Mon acolyte me donne un coup de coude et monsieur Fréchette plisse le nez, l'air de se demander quelle mouche m'a piquée.

— Du calme, l'hystérique, grommelle Maax, en m'entraînant dans la section des petits outils.

Je le fusille du regard.

— Hystérique, moi ?

— Tu vas tout faire rater si tu ne te calmes pas sur-le-champ.

— Il faut que j'aille à la toilette.

— Quoi ? Ce n'est pas le moment !

— Je ne fais pas exprès, tu sauras. Je suis comme ça. J'ai envie quand je suis nerveuse.

— Tu n'as qu'à te retenir. Bon. Tu te souviens du plan ?

J'acquiesce d'un hochement de tête.

Maxime-Alexandre s'éloigne et se dirige vers une allée du magasin. Quelques secondes plus tard, j'entends un vacarme qui m'indique qu'il a fait tomber toute une rangée de canettes de lubrifiant.

— Hé ! se fâche monsieur Fréchette. Fais attention, jeune homme !

Maax se confond en excuses. Pendant cette diversion, je dois prendre un objet, le glisser dans ma poche et passer la porte d'entrée afin de déclencher l'antivol. Ce n'est pas compliqué.

En théorie.

Allez, Émy-Lee, me dis-je à moi-même, pour me donner du courage. Tu vas y arriver !

Les acteurs font ça de façon si naturelle, dans les films. Ils se promènent dans les rangées, examinent les produits, font semblant de lire une étiquette et oups ! Ils glissent un truc dans leur manche ou dans leur poche. Ni vu ni connu. De vrais pros !

Je dois faire pareil.

Je balaie la tablette du regard et je trouve l'objet parfait : un paquet de piles. Ce n'est pas trop gros ni trop petit et je présume que c'est équipé d'un dispositif de sécurité.

Il n'y a qu'un seul obstacle à mon plan : mon bras refuse de bouger. J'aimerais bien qu'il se grouille, mais il se contente de rester pendu mollement le long de mon corps. Le temps presse. Pourquoi est-ce que je n'y arrive pas ? Monsieur Fréchette ne sera pas éternellement penché à quatre pattes pour récupérer les canettes qui ont roulé au sol.

Mon cœur est sur le point de m'annoncer qu'il renonce à battre pour moi. Je suis trop exigeante, comme fille. Je lui fais vivre trop d'émotions.

Je lève la tête pour voir où en sont rendus Maax et monsieur Fréchette dans leur ramassage de canettes. Ils ont presque terminé. OK. C'est maintenant ou jamais. Je dois respirer bien fort, prendre ces piles et sortir d'ici. Tout de suite !

Go, Émy-Lee !

Quelques secondes plus tard, me voilà sur le trottoir, le cœur à l'envers et la tête au bord de l'explosion. Comme mes jambes n'arrivent plus à supporter mon poids, je n'ai d'autre choix que de m'asseoir sur le premier banc que je rencontre. La tête entre les jambes, j'essaie de me concentrer sur ma respiration pour éviter de vomir.

— Hé…

Maxime-Alexandre vient d'arriver à mes côtés.

— Est-ce que ça va, Émy-Lee ?

— Non.

Il me caresse le dos avec la paume de la main.

— Qu'est-ce qui s'est passé ? Pourquoi l'alarme ne s'est-elle pas déclenchée ?

— Parce que je n'ai rien pris. Je n'ai pas réussi.

Je n'arrive plus à prononcer un mot, trop humiliée par ma propre faiblesse. De son côté, Maax attend en silence. Il se contente de former des cercles au niveau de mes omoplates sans me pousser à parler. Au bout de quelques minutes, une seule question me vient à l'esprit :

— Qu'est-ce qui cloche, chez moi ?

— Rien ne cloche, Émy-Lee...

— Ce n'était pourtant pas si compliqué, ce que j'avais à faire ! Pourquoi n'ai-je pas réussi un petit vol de rien du tout ?

— Parce que tu as préféré rester honnête et trouver une meilleure façon de récupérer Nadeige.

— C'est pathétique...

— Au contraire. C'est tout à ton honneur.

Je me redresse, étonnée par sa réplique.

— Tu crois ?

— J'en suis sûr.

Maax me sourit et ouvre bien grand ses bras pour m'inviter à me blottir contre lui. Ça me fait un bien fou. Non seulement j'avais froid, mais le rythme régulier de sa respiration m'aide à me calmer.

— Qu'est-ce que je vais faire, maintenant ?

— C'est simple. Puisque je suis officiellement ton faux petit ami, je vais t'aider à trouver
un meilleur plan.

— Et il va marcher, ton plan?

— Non seulement il va marcher, mais il va
être légal.

— J'adore!

Je respire mieux. Le crime, ce n'est vraiment
pas pour moi!

Maax et moi restons là un moment, blottis
dans les bras l'un de l'autre. Lui, à énumérer les
idées les plus farfelues et moi, à rire comme une
bonne chaque fois qu'il ouvre la bouche.

Je ne pouvais pas imaginer un après-midi
plus parfait.

Émy… faut que je te parle d'un truc…

Un texto qui dit « faut que je te parle »,
ce n'est pas bon signe…

Bon, je sens que tu ne seras pas contente,
alors j'aimerais mieux que tu me promettes
de ne pas te fâcher, d'abord.

Soupir !

Promets ou je ne te dis rien !

Je promets seulement si tu me jures
que tu n'as pas fait une autre bêtise.

Tu n'as toujours pas promis…

Tu n'as toujours pas juré…

OK, OK, je te le dis ! Donc, voilà.

Je suis privée de sortie. Pour un truc
total idiot !

Sérieux, qui punit sa fille (à part ma mère !)
pour une histoire d'allergie ?

Hein ?! C'est n'importe quoi !

Je ne comprends pas… Elle t'a punie parce que tu es allergique à ton uniforme ? Ta mère est virée sur le *top*, ou quoi ?

Je te le dis, elle est tombée sur le capot ! Elle dit que c'est ma faute, cette histoire d'allergie, parce que je ne lave pas mes vêtements correctement ou un truc du genre… En tout cas, elle est complètement insensible !

Et… qu'est-ce que ça veut dire : privée de sortie ? Ce n'est pas ce que je pense, hein ? Dis-moi que ce n'est pas ce que je pense ! DIS-LE !

Je déteste devoir faire ça, mais…
Je vais être plus claire : je ne pourrai pas assister à ta compé…

Torbinouche, Nad ! Tu le fais exprès ou quoi ? Tu t'arranges toujours pour tout gâcher ! Tu n'as qu'à le dire clairement si tu ne veux plus me voir !

Mais attends, ce n'est pas MA faute, c'est ce que j'essaie de t'expliquer depuis le début !

Je te laisse ! Je sens que je vais écrire des trucs que je vais regretter si ça continue.

Émy ! Tu es injuste ! Je ne voulais pas que ça vire comme ça !

Je... Émy ?

Tu es encore là ?

Zut, JE M'EXCUSE ! Tu es contente !?

Non ? Il faudrait que je fasse quoi, alors ? Que je me mette à genoux devant toi ? Je le ferais, si j'étais en face de toi ! Promis !

Oh, Émy, c'est trop idiot, ta réaction ! On se parlera quand tu te seras calmée... 🙁

20

NADEIGE

Sasha est sûrement dans la salle de repos où la plupart des jeunes se retrouvent après le dîner. Bon, évidemment, pas TOUS les jeunes. Juste ceux qui sont cool. Et Sasha, il fait partie de ceux-là. Pas moi. C'est pourquoi je ne me sens pas très à l'aise de pénétrer dans ce local. Il y a des sofas dans les quatre coins ainsi qu'une télé avec une console. Ça crie et ça s'excite, tout autour de moi. Je finis par passer la porte et je cherche Sasha pour lui faire signe.

Lorsque le regard de celui-ci croise le mien, il détourne aussitôt les yeux. Il joue à celui qui ne m'a pas aperçue. Ou qui se fiche bien de moi. Il n'a pas l'air d'être de bonne humeur. Et je sais pourquoi. Je suis justement venue le retrouver pour mettre les choses au clair. C'est qu'il a passé les derniers jours à m'ignorer ou carrément à me fuir. Pas moyen de lui mettre le grappin dessus pour avoir une bonne conversation. C'est pourquoi j'ai décidé de venir le rejoindre dans son antre. Là où je sais qu'il ne pourra pas se sauver…

Je m'approche du fauteuil où il est écrasé avec deux autres garçons. Il ne lève même pas le menton pour me saluer. Rien. Comme si je n'existais pas. Je soupire et me racle la gorge. Toujours aucune réaction. En levant les yeux au ciel, je finis par donner une claque sur les pieds de Sasha, car il a posé ceux-ci sur la table basse devant lui. Enfin, il daigne s'intéresser à moi.

— Hé, si ce n'est pas Nadeige! Tu n'es pas avec ton chum? Je pensais pourtant que vous passiez toutes vos soirées ensemble…

— Arrête un peu, tu sais très bien que je n'ai pas de chum.

— Ce ne sont pas ce que disent les rumeurs. Ni les suçons que tu avais dans le cou…

— Ce n'était pas des…

— De toute façon, je m'en fous. Tu me déranges, là, tu ne vois pas? me coupe-t-il d'un ton sec.

J'observe ce qui l'entoure, pour essayer de comprendre ce qu'il était en train de faire de SI important. Et comme je le pensais, ses amis et lui ne font absolument rien. L'un d'entre eux pouffe même de rire en me jetant un coup d'œil. Ils se moquent de moi et je déteste ça! J'ai le goût de tourner les talons et de laisser Sasha s'imaginer toutes les histoires qu'il veut, mais je prends une bonne inspiration et serre les poings. J'aimerais vraiment qu'il m'aide. Comme il me l'a promis. Avant que je ne lui dise de me laisser tranquille...

Je reprends donc, les dents serrées :

— Est-ce qu'on pourrait se parler ?

— Ce n'est pas ce qu'on fait, en ce moment ?

Nouvel éclat de rire de ses STUPIDES amis ! J'ai l'impression que les veines de mon cou vont finir par éclater, s'il continue comme ça.

— Seul à seule. J'ai des choses à te... demander.

Il plisse les yeux, hésitant, mais une voix féminine vient se mêler de notre discussion et je soupire de frustration.

— Mais qu'est-ce que tu fais là, Nadeige ? demande Noémie la greluche. Tu n'es pas avec ta grosse amie ? Qu'est-ce qu'il y a, elle t'a volé ton lunch, ce midi, pour le manger ? Ou tu étais tannée de ne parler que de bouffe avec elle ? À moins que ce ne soit parce qu'elle a marché sur ton pied et que tu as cru qu'elle allait te le casser !

Je bouillonne sur place. Sasha change d'expression et se redresse enfin. Mais il n'a pas le temps de réagir, car je me tourne vers Noémie et lui saute dessus, toutes griffes dehors.

Bon, OK, je ne saute pas RÉELLEMENT sur elle... Parce que si je fais ça, je suis bonne pour me faire… pour me faire… Mais la voilà, ma solution ! Je dois me battre avec elle pour me faire renvoyer ! C'est évident qu'avec une bataille, ils ne voudront plus jamais de moi dans cette école. Je m'apprêtais à rétorquer une remarque 100 % sarcastique et intelligente, mais je la laisse plutôt continuer sur sa lancée. Ce qu'elle fait sans trop se gêner, puisque sa horde de nunuches rigole à chacune de ses tirades.

— Oh non, je sais ! Delphine s'est enfargée, elle est tombée par terre et elle s'est mise à rouler jusqu'au bout du corridor ! Ou les boutons de sa chemise ont éclaté, après son dîner, et tu en as reçu un dans l'œil. Ou…

Ça suffit. Il y a quand même des limites à l'imbécillité ! Et Noémie les a atteintes depuis longtemps ! Cette fois, je lui saute VRAIMENT au visage et empoigne sa chevelure parfaite pour la malmener un peu. Elle ouvre grand les yeux, ne s'attendant visiblement pas à une attaque physique de ma part. J'ai à peine le temps de la brasser un bon coup que je sens deux bras m'empoigner et me tirer vers l'arrière. Je me débats, mais une voix murmure à mon oreille :

— Ne. Fais. Pas. Ça.

Pas question de laisser passer cette chance de me faire mettre dehors. Et en plus, cette chipie l'a mérité ! Je vais lui faire ravaler toutes les méchancetés qu'elle vient de dire ! J'essaie de repousser Sasha, car c'est bien lui qui me tient solidement contre sa poitrine, mais je ne réussis qu'à l'obliger à me coller à lui. Sa joue est posée contre la mienne et je sens son souffle tout près de mon visage. Des frissons m'envahissent et je finis presque par en oublier la raison pour laquelle j'étais prête à me battre…

Presque… Mais Noémie ne tarde pas à me le rappeler, car personne ne la retient et elle replace tant bien que mal ses cheveux, avant de s'avancer vers moi. Et de me donner une gifle retentissante.

— Hé ! Ça suffit ! Va-t'en, Noémie, ou c'est à moi que tu auras affaire, lui crie Sasha, en se tournant à demi pour me protéger, mais sans jamais me lâcher.

Je grogne aussitôt à son oreille :

— Mais laisse-moi donc me défendre toute seule ! Je sais ce que je fais !

Il ne me répond pas et s'assure que Noémie abandonne la partie, avant de relâcher son étreinte peu à peu. La greluche est rendue loin lorsque je récupère enfin le contrôle de mon corps. Puisque la raison de ma colère a disparu, aussi bien me défouler sur Sasha.

— Qu'est-ce qui t'a pris ?! Ce n'était pas tes oignons ! À cause de toi, elle m'a fait mal…

Il fait la grimace et lève la main pour la poser sur ma joue. Il la caresse en douceur, à quelques pas seulement de moi. Je sens ma frustration s'évaporer et je plonge dans ses yeux désolés, tandis qu'il se défend.

— Je m'excuse, mais tu ne m'as pas laissé le choix. Si je n'avais rien fait, tu te serais battue et à l'heure qu'il est, tu serais déjà renvoyée.

— Justement ! Arrête de t'en mêler ! Je ne sais pas dans quelle langue te dire que je veux m'en aller d'ici !

— Pourquoi ?! Pourquoi tu veux à ce point partir ?

Mes épaules s'affaissent et je retiens mes larmes. Il est temps de tout lui avouer. Mais pas ici. Devant tout ce monde qui nous observe. Je lui attrape la main et l'incite à me suivre. Ce qu'il fait sans hésiter, cette fois.

✳ ✳ ✳

Sous la cage d'escalier, personne en vue. Nous avons au moins vingt minutes avant la reprise des cours. Et Sasha me fixe, en attendant de voir ce que je vais lui dévoiler.

— Premièrement, je n'ai pas de chum et tu le sais très bien.

Il lève le doigt et pointe mon cou, sur lequel on peut encore voir quelques marques, mais sans plus.

— Si je te dis d'où ça vient, tu vas rire de moi...

— Essaie toujours.

— Poil à gratter...

Il fronce les sourcils, sans comprendre.

— Je voulais faire croire à mes parents que j'étais allergique à l'uniforme. Alors j'ai demandé à Nick de me prêter de la poudre provenant de leur atelier de théâtre. J'en ai saupoudré mes vêtements et quand j'ai mis ceux-ci, j'ai VRAIMENT eu une réaction allergique... Tellement, en fait, que j'ai même des brûlures sur le corps.

Sasha garde le silence devant mon aveu, avant de sourire lentement. Puis d'éclater franchement de rire. Je me sens idiote. Mais son rire est contagieux et je souris à mon tour. Il s'arrête aussitôt et s'approche de moi.

— Tu es tellement belle quand tu souris, me souffle-t-il. Ta fossette... elle me rend fou, tu n'as pas idée.

Je dois avoir les joues rouges, car je sens que mon visage est beaucoup trop chaud. Je regarde par terre pour cacher mon embarras, mais Sasha me relève le menton d'un doigt. Il reste silencieux un moment, avant de se pencher vers moi. Ses lèvres sont si proches des miennes que, d'une seconde à l'autre, je pourrai sentir leur douceur. Il faut que je me décide : je me laisse aller ou je le repousse. Encore…

En panique, j'ouvre la bouche et murmure :

— Je fais vraiment tout ce que je peux pour retourner à mon ancienne école.

Il stoppe à un millimètre de moi. À voix basse, il me demande :

— Pourquoi ?

— Tu vas rire de moi.

— Non…

— Mais tu as ri de moi, pour la poudre…

— Pas cette fois. Promis…

Il attend sans bouger. Si je fermais les yeux, il m'embrasserait, j'en suis certaine. À la place, je lui explique :

— Ma meilleure amie. Elle est restée là-bas. Mes parents m'ont forcée à venir ici. Mais je vais tout faire pour retourner auprès d'elle.

— C'est tout ? Pour une amie ? répète-t-il en haussant un sourcil.

— Pas n'importe laquelle, Sasha. La meilleure qui soit. MA meilleure amie. Elle est la seule qui me comprend. Qui me connaît de A à Z. Et qui ne me juge jamais. Avec elle, je deviens enfin la personne que je veux être. Avec elle, je suis naturelle et je n'ai pas besoin de mettre de masque. Parce qu'elle m'aime.

— Et tu penses qu'elle est la seule ?

— La seule à quoi ?

— À t'aimer…

Je ne peux pas répondre à ça. À la fois parce que je ne sais pas quoi dire. Mais aussi parce qu'il vient de franchir le dernier millimètre pour poser les lèvres sur les miennes. Et que son baiser est trop parfait pour que je pense à quoi que ce soit d'autre. Pendant une fraction de seconde, j'en viens même à ne plus songer à Émy-Lee, qui me manque tant. Ce qui me fait bien plus souffrir que son absence, en fin de compte.

Surtout qu'elle refuse toujours de me pardonner ma dernière trahison…

À : Emy-Lee_Samson@coolmail.com
De : Nad@coolmail.com
Objet : J'ai besoin que tu me pardonnes

Je ne sais pas dans quelle langue te le dire. Ton silence me tue. Il faut que tu me pardonnes parce que je me sens trop mal. Je me déteste tellement, parfois. Je suis trop nulle comme amie, je le sais bien. Je voudrais que tu puisses compter sur moi, mais on dirait que je n'arrive même pas à tenir mes promesses.

Dis-moi que tu me pardonnes de ne pas aller à ta compé, parce que je veux vraiment te raconter un truc important qui m'arrive...

Nad
Ta *best* ?

À : Nad@coolmail.com
De : Emy-Lee_Samson@coolmail.com
Objet : RE : J'ai besoin que tu me pardonnes

Nad, c'est moi qui dois te dire quelque chose d'important...

J'ai beaucoup réfléchi et j'ai compris que c'est MOI l'amie pourrie. Non mais, c'est vrai ! TU as changé d'école. TU as dû te faire de nouveaux amis. TU portes un uniforme. TU dois travailler deux fois plus pour faire augmenter tes notes.

Et moi, dans tout ça ? Moi, je te boude parce que tu te fais punir (injustement, en plus !) ?

Désolée, mais je me suis comportée en vrai bébé lala !

Alors oui, je te pardonne, à condition que tu me pardonnes aussi (et que tu me promettes de ne plus jamais m'abandonner un jour aussi important que celui d'une compétition).

C'est bon ?

Émy-Lee
(Qui sera TOUJOURS ta *best*, combien de fois je vais devoir le répéter ?) 😊

À : Emy-Lee_Samson@coolmail.com
De : Nad@coolmail.com
Objet : RE : RE : J'ai besoin que tu me pardonnes

Oui! Promis, plus jamais je ne vais te faire faux bond. En fait, il va falloir que tu me racontes tous les détails de ta compétition, une fois que cette épreuve sera terminée. Je vais penser à toi toute la journée!

Pour en revenir à ce dont je voulais te parler, imagine-toi donc que je me suis battue, au collège. Avec rien de moins que la greluche! Cette Noémie est trop méchante, si tu l'avais entendue rire de Delphine et de son surpoids… Je n'ai pas eu le choix, je devais réagir. Mais bon, en fin de compte, c'est elle qui m'a giflée en dernier, parce que Sasha me retenait. S'il n'avait pas été là, je crois que je lui aurais arraché tous les cheveux de la tête!

Dis-moi, ça te tente qu'on s'appelle? Je m'ennuie de te parler. Et ça pourrait te permettre de décompresser avant le grand jour…

Nad
Ta *best* (et trop contente de l'être!)

21

ÉMY-LEE

Aujourd'hui, c'est la première compétition de l'année. Pas besoin de spécifier que je suis hyper nerveuse. Non seulement je suis débutante en athlétisme, mais je n'ai jamais fait de compétition de quoi que ce soit de toute ma vie ! J'ai beaucoup de mal à gérer le stress, alors ou je meurs, ou je me ridiculise sur la piste. Entre les deux, je crois que je préfère mourir.

Les estrades sont bondées. Mes parents et mon frère sont là, évidemment, ainsi que la moitié de l'école. Ils n'ont pas mieux à faire de leur samedi après-midi, ceux-là ? Si au moins Nad était là, je suis sûre qu'elle trouverait les mots qui me font du bien. Mais non... je dois encore me passer d'elle...

Ma première course a lieu dans trente minutes, alors j'essaie de ne pas trop penser à tout ça. Pour l'instant, je me tiens à l'écart de la piste pendant qu'a lieu l'épreuve de saut en longueur. Écouteurs aux oreilles, j'exécute quelques étirements et je découvre la liste de musique que

Maax m'a préparée exprès pour la compétition d'aujourd'hui. Je dois avouer qu'il a du goût.

Voyant que je suis toute seule dans mon coin, il me fait un signe de la main et vient me rejoindre. Je l'accueille avec un grand sourire, heureuse qu'il pense à venir m'encourager juste avant ma course.

— Salut, dis-je en retirant mes écouteurs. Ta musique est géniale. Merci !

— Ma musique ? Quelle musique ?

Il semble si nerveux, tout à coup ! Je lui montre mon iPod.

— Ah ! Oui, ça… Tant mieux.

— Qu'est-ce que tu as ?

— Écoute, me dit-il en glissant les mains dans les poches de son survêtement. Juliette est ici.

Je lève la tête en direction des estrades. Mes parents me saluent de la main. Je les salue à mon tour et je jette un coup d'œil vers les autres spectateurs. Effectivement, Juliette est là. Elle a le regard figé sur Maax, la bouche en cœur et des étincelles dans les yeux.

— Je crois que c'est le bon moment, déclare-t-il en s'approchant très près de mon visage.

— Le bon moment pour quoi ?

— Pour qu'on s'embrasse.

Mon cœur cesse de battre l'espace de quelques secondes. Ces mots ne peuvent pas être sortis de sa bouche.

— Tu veux qu'on s'embrasse ici ? Maintenant ?

— On n'a pas le choix, se justifie-t-il. J'ai essayé de casser trois fois avec Juliette, la semaine dernière, et je n'ai pas réussi. Elle ne veut rien comprendre. Plus j'essaie de m'éloigner d'elle, plus elle me colle aux fesses.

— Je ne sais pas...

— Allez, insiste Maax en caressant ma joue du bout des doigts. Quand elle nous verra ensemble, elle n'aura pas le choix de comprendre.

Je sais que j'ai promis à Maax de l'aider avec Juliette, mais je n'ai jamais embrassé un gars auparavant, alors je ne suis pas sûre que ce soit une bonne idée que ma première fois se déroule devant une estrade bourrée de monde... et devant mes parents ! Oh ! Torbinouche ! J'espère qu'ils ne nous ont pas vus ensemble !

Inquiète, je recule d'un pas et je lève les yeux pour les retrouver dans la foule.

Mon père est occupé à donner un peu de jus à mon frère et ma mère discute avec un couple assis juste à sa droite. Ils n'ont rien remarqué. Fiou !

— Quelque chose ne va pas? demande mon faux chum.

— Non, non. Tout va bien.

— On ne dirait pas.

Il me considère avec attention tandis que je déploie un effort surhumain pour adopter un air aussi naturel que possible. J'imagine que je n'y parviens pas vraiment, puisqu'il m'agrippe par le bras et m'entraîne encore plus à l'écart, de façon que personne là-haut ne puisse nous voir.

— Qu'est-ce qu'il y a? s'inquiète-t-il. Et ne me dis pas que tout va bien, je ne te croirai pas. Je te connais assez pour savoir que tu rêves de disparaître sur-le-champ.

— Tu te crois dans ma tête ou quoi?

— Pas besoin. Je n'ai qu'à ouvrir les yeux.

Sa bouche esquisse un sourire tandis que son index pointe en direction de mes mains. Aussitôt, je baisse la tête et je comprends de quoi il est question. Dans ma nervosité, j'ai tant joué avec mes écouteurs que le fil est aussi emmêlé qu'une assiette de spaghettis. Ça va me prendre une éternité pour tout désentortiller.

— Alors? me demande Maax. Tu m'expliques ou pas?

— Je ne crois pas, non.

Il relève les sourcils et choisit sa voix la plus douce :

— Écoute, Émy-Lee. Je ne sais pas ce qui te tracasse, mais n'oublie pas qu'on est tous les deux, dans ce plan de fou. Tu m'aides. Je t'aide. C'est comme ça. On appelle ça un échange de services.

— Je me rappelle très bien notre entente. C'est juste que…

Non… Je ne veux pas ressentir ce que je ressens en ce moment ! Je connais ces symptômes ! Je sens la chaleur monter dans mes joues, mon estomac se crisper, les larmes essayer de se frayer un chemin jusqu'au coin de mes yeux. Si ça continue… Si ça continue, je vais pleurer.

Je cligne vivement des yeux pour en chasser l'humidité. En voyant mon inconfort, Maax s'empresse de poser une main sur mon épaule.

— Hé… Tu m'inquiètes, Émy-Lee. Est-ce que tu es malade ?

— Malade ?

Ma bouche émet un petit rire forcé.

— Peut-être, tiens ! J'imagine qu'il faut être malade pour être la seule fille de secondaire deux qui n'a jamais embrassé un garçon de sa vie !

Voilà ! Je l'ai dit.

Je lève la tête pour juger la réaction de mon faux petit ami. Tant qu'à avoir l'air d'une pauvre fille, aussi bien l'assumer jusqu'au bout, non? Mais au lieu de rire, au lieu de me regarder avec dédain ou même de me tourner le dos, Maax secoue la tête et me demande:

— Tu crois vraiment être la seule fille de notre année qui n'a jamais eu de chum?

— Je sais que c'est le cas!

— Voyons, Émy-Lee! Tu exagères.

— Tu crois?

Je lève les yeux pour observer les jeunes qui nous entourent. Sur ma droite, Talia et Hugo se serrent très fort dans les bras l'un de l'autre. Ils sortent ensemble depuis la semaine dernière. Sur ma gauche, un couple s'embrasse à pleine bouche devant tout le monde. Et droit devant, deux filles se pâment en regardant l'entraîneur d'un autre club donner ses directives à ses athlètes.

— Non... Je pense que j'exagère à peine, dis-je à Maax après qu'il a suivi mon regard et constaté par lui-même.

Il ferme les yeux et prend une grande inspiration. C'est très désagréable, cette sensation de le décevoir.

— Bon, écoute, ce n'est pas grave, m'assure-t-il, après un moment de réflexion. Ce n'était peut-être pas une si bonne idée de te faire passer pour ma blonde, finalement. Je pense que tu n'es pas prête. On oublie ça, tu veux ?

Sur le coup, mon cerveau n'assimile pas tout de suite la gravité de ses paroles, mais quand ça se produit, j'ai l'impression qu'une violente décharge électrique m'électrocute de l'intérieur. Quoi ? Il veut laisser tomber notre plan ? Je suis en train de tout gâcher !

L'image d'un train se forme dans ma tête. Un train qui file à toute allure et sur lequel il est écrit : **« MAXIME-ALEXANDRE + ÉMY-LEE = AMOUR ! »** Je sais pertinemment qu'en le laissant filer, je trace une croix sur la chance inouïe que j'ai de passer du temps avec le garçon le plus gentil, le plus beau et le plus adorable qui existe sur terre… et peut-être même de sortir avec lui pour vrai, un de ces jours.

Je DOIS monter dans ce train. Courir aussi vite que possible, le rejoindre et m'y agripper fermement, même si ça me semble une épreuve insurmontable. *Go !*

Je pince les lèvres, le front luisant et les mains moites, et je marmonne :

— OK. Embrasse-moi.

Maxime-Alexandre hausse les sourcils. Je crois que je l'ai pris par surprise.

— Euh… Non. C'est hors de question.

— Quoi ?

Décidément, je ne comprends plus rien. Pourquoi un tel revirement de situation ?

— Je ne veux pas être celui qui t'embrasse pour la première fois, m'explique-t-il, le visage grave. En plus, je considère que tu mérites mieux qu'un baiser rapide sur le bord d'une piste d'athlétisme.

— On n'a qu'à prendre notre temps, alors, dis-je en lui faisant mon plus beau sourire. Et ne t'en fais pas, tu seras parfait.

Il hésite et me sourit à son tour. Est-ce que ça veut dire oui ? Torbinouche ! Je crois que ça y est !

Tout doucement, comme dans un mouvement au ralenti, Maax s'approche de moi et glisse ses doigts sur ma joue. Ce simple contact, si léger, si doux, me chavire l'âme. J'ai peine à croire que le grand moment approche. J'arrive à peine à respirer !

Un peu mal à l'aise, j'évite de le regarder dans les yeux. Je serais capable de perdre connaissance, sinon. Je porte plutôt mon regard sur la piste et je vois les deux filles de tout à l'heure, toujours en pâmoison devant le super entraîneur aux gros muscles. Si leurs parents les voyaient, ils ne seraient sûrement pas contents. En tout cas, les miens feraient une syncope. Peut-être même qu'ils me priveraient de sortie, de télé et de textos pendant une année entière.

Finalement, je préfère fermer les paupières. Ce n'est pas rien, ce que je m'apprête à vivre ! Je dois me recentrer sur l'instant présent... Sur le souffle de Maax qui me caresse la peau... sur son odeur qui emplit mes narines... et sur ses lèvres, qui s'apprêtent à frôler les miennes...

— Oh !

Je recule d'un mouvement brusque, les yeux écarquillés.

— Quoi ? Qu'est-ce qu'il y a ? s'inquiète Maxime-Alexandre, déboussolé par mon changement d'attitude. Tu veux que j'arrête ?

— Oui ! Je veux dire non, je ne veux pas que tu arrêtes !

Je m'en veux, tout à coup. J'étais à deux doigts de savoir enfin ce que ça fait d'embrasser un gars (et pas n'importe lequel, on s'entend !) et j'ai laissé filer ma chance.

— Écoute, je voulais vraiment monter à bord du train, mais j'ai dû le laisser filer. Tu crois qu'il va repasser ?

— Le train ? me questionne Maax. Quel train ?

Je serre les dents pour m'éviter de raconter encore plus de bêtises. Qu'est-ce que je peux m'énerver, des fois!

— Ce que je veux dire, c'est que j'ai vraiment envie que tu m'embrasses. Pour vrai. Mais pas maintenant.

— Pourquoi? Qu'est-ce qui ne va pas?

— Je viens d'avoir une super idée.

Le visage de Maax s'illumine et il redevient instantanément mon fidèle complice.

— Raconte!

J'ai juste le temps de lui expliquer ma révélation et je cours sur la piste afin de me préparer pour ma première épreuve.

Nad ! Tu es là ? Je viens d'arriver de ma compé !

Ooooh ! Raconte !!! J'attendais de tes nouvelles !

Ça s'est super bien passé. Je n'ai récolté aucune médaille, mais je suis fière de ce que j'ai accompli. J'ai amélioré tous mes temps !

Génial ! Je savais que tu y arriverais !

Bravo !

Et toi ? Ta journée « je-suis-punie-et-je-dois-rester-à-la-maison » ?

Tu t'es bien amusée ? (À noter ici le ton ironique de la question.)

Ark, ne m'en parle pas… Déprimant à l'os.

Appelle-moi, tu pourrais tout me raconter de vive voix !

Non, je ne peux pas t'appeler, je suis au resto avec tout le club.

Je voulais juste te donner des nouvelles, parce que je risque de rentrer tard.

Ah… Ben… on se reprendra, alors…

Ouaip! Et tu sais quoi? J'ai survécu à ma première compé même si tu n'étais pas là.

Je suis une grande fille, maintenant! 😃

Bon, dans ce cas, lâche-moi un coup de fil dès que tu le pourras.

Je devrais encore être ici.

(Tout comme toi, je maîtrise très bien l'ironie, tu sais…)

22

NADEIGE

Pour la première fois de ma vie, j'ai invité un garçon chez moi. (NON, Nick ne compte pas et la soirée que j'ai passée en sa compagnie fait partie des choses dont je veux oublier jusqu'à l'existence !)

Je rembobine : pour la première fois de ma vie, j'ai invité un garçon qui me plaît chez moi. Sasha a pris place sur ma chaise de bureau. Il l'a tournée et est appuyé contre le dossier. Ça lui donne un air relax. Il est tellement beau. OK, redescends sur terre, Nadeige Leblanc ! S'il est chez toi, ce n'est pas pour que tu puisses l'admirer, c'est pour discuter de la situation. Et pour lui demander de l'aide.

Récapitulons : depuis la rentrée scolaire au Collège Saint-Vincent-des-Saints, j'ai TOUT essayé pour me faire renvoyer en bonne et due forme.

• D'abord, j'ai opté pour l'intimidation sur Delphine. (Échec total, puisque tout ce que j'ai réussi à faire, c'est sauver la vie de Noémie la greluche !)

• Ensuite, j'ai tenté d'accumuler le plus de points possible pour me faire jeter hors du collège, mais ou les profs sont trop tolérants avec moi, ou je suis nulle à ce petit jeu, car j'ai seulement eu droit à une retenue le samedi.

• Et puis, durant ladite retenue, j'ai rencontré un gars aux allures de bum et j'ai eu l'idée de montrer à mes parents qu'il y avait de très mauvaises fréquentations dans ce collège. Mauvaise idée, puisque ce bum n'était nul autre que le surveillant de la retenue.

• Heureusement pour moi, il avait tout de même un frère comédien (que j'ai dû payer !) qui est venu chez moi. Et c'est à ce moment que j'ai commencé à me décourager, je crois. Car Nick a refusé de faire des graffitis avec moi et, de toute manière, mes parents ne se sont pas du tout inquiétés à son sujet…

• N'empêche qu'il m'a donné l'idée d'utiliser du poil à gratter pour simuler une allergie aux vêtements. La suite, on la connaît… Brûlure à je ne sais quel degré et punition de mes parents.

• Enfin, je me suis résolue à demander l'aide de Sasha (après une mini-bataille avec Noémie, due à sa pluie d'insultes concernant Delphine). Et Sasha m'a embrassée… ce qui m'a un peu embrouillé les idées.

C'est pourquoi il est ici. À me regarder avec des étincelles au coin des yeux. Et un sourire à faire craquer n'importe quelle fille. Moi la première… Je me secoue pour tenter de reprendre le contrôle de mes émotions et je lui fais la longue liste de mes dernières actions. Au fur et à mesure que je lui explique tout ce que j'ai accompli dans les derniers mois, il sourit de plus en plus. Lorsque je termine enfin, il se lève et vient s'asseoir à côté de moi, sur le lit, pour prendre mon visage entre ses mains.

— Tu es une fille incroyable, Nadeige, tu le savais ?

— Bien sûr ! Mais comme tu as pu le constater, je n'ai pas réussi pour autant à me faire renvoyer…

— Écoute, je comprends pourquoi tu agis ainsi, mais je me demande si c'est vraiment ce qui est le mieux pour toi.

— Émy-Lee est ma meilleure amie depuis toujours ! Je DOIS aller la retrouver !

Il pose un doigt sur mes lèvres pour me faire taire, le temps de m'expliquer ce qu'il veut dire.

— Je sais ça. Et je te trouve courageuse de tout tenter pour elle. Mais pour toi, qu'est-ce que tu fais ? Si tes parents ont décidé de t'inscrire au collège, ce n'est pas sans raison. C'est parce qu'ils ont cru que l'encadrement et les services te seraient plus adaptés. Même ta meilleure amie pourrait le comprendre, non ?

Je hausse les épaules, un peu démoralisée. Une part de moi sait qu'il a raison. Que le collège a des tas de qualités qui en font un endroit de rêve pour étudier. Les infrastructures sportives sont incroyables, les enseignants ne sont pas si mal et les cours de rattrapage m'ont permis, je dois l'avouer, de me remettre à flot dans plusieurs matières. Sans compter que je m'y suis fait une amie, Delphine, avec qui j'ai beaucoup de plaisir. Et il y a Sasha…

Comme pour faire écho à mes pensées, il se penche et m'embrasse en douceur. Une fois… deux fois… puis trois, quatre, à l'infini… Je ris entre ses baisers et me laisse faire, car ce moment est magique. Sasha me pousse vers le matelas et je tombe à la renverse. À deux pouces de moi, celui qui me donne des papillons dans le ventre se tient sur un coude et passe la main sur mon visage. Il repousse mes cheveux de mes yeux et recommence à m'embrasser.

C'est la première fois que je me laisse aller de la sorte. Que je baisse ma garde. Mon cœur bat à cent milles à l'heure. Je manque d'air. Je suis trop bien dans ses bras. Il pose sa bouche sur ma joue, mon nez, mon front, mon cou... Je tourne la tête pour le laisser faire, sourire aux lèvres. Mon regard tombe sur le petit cadre, sur la table de chevet. Celle où l'on nous voit, Émy-Lee et moi. Nous sommes chez elle, dans sa chambre, et nous nous tenons par les épaules. Nos têtes sont collées l'une contre l'autre. Une boule se forme dans ma poitrine.

Qu'est-ce que je vais faire ? Qu'est-ce que je suis en train de faire ?

✶ ✶ ✶

Sasha est reparti chez lui. Il ne m'a pas aidée du tout. Plus exactement, il a fait tout le contraire. Il a tenté de me convaincre de rester à ce collège. J'aurais dû me douter qu'il agirait ainsi. C'est pour cette raison que je l'ai repoussé aussi longtemps. Parce que j'avais peur qu'il arrive à me faire changer d'idée. Il est à deux doigts de réussir, d'ailleurs.

Avant de partir, parce que c'était l'heure du souper, il m'a serrée contre lui une fois de plus. Et il m'a embrassée, pour la centième fois aujourd'hui, je crois. Je ne lui ai pas résisté. Parce que ça me faisait du bien. Mais aussi parce qu'au fond de moi, j'ai peur que ce soit la dernière fois.

Je dois aller voir Émy-Lee pour lui parler.

C'est pourquoi je m'habille pour sortir. Manteau, bottes, mitaine et tuque. Il fait très froid, aujourd'hui. C'est l'hiver. Décembre est arrivé. Je viens d'avertir mes parents que je devais aller voir ma *best* juste avant le souper. Que je ne reviendrais pas tard. Il faut que je lui dise ce que j'ai sur le cœur. Avant de sortir, je prends mon cell, car je veux lui écrire un courriel, au cas où je n'aurais pas la force de tout lui raconter en personne.

Je dois lui avouer à quel point elle me manque. Et lui parler de tout ce que j'ai fait pour être renvoyée. Peut-être qu'elle va me dire que c'était ridicule. Que ça ne sert à rien et qu'elle est mieux sans moi, finalement. Mais peut-être pas non plus. Je croise les doigts dans mes mitaines pour qu'elle me dise que, pour elle aussi, c'est hyper difficile.

À deux, on est plus fortes. À deux, on a toujours tout traversé. C'était une idée idiote de lui cacher tous mes efforts pour revenir vers elle. Il est plus que temps que je lui raconte ce que j'ai fait.

C'est exactement ce que je lui écris, après avoir retiré mes mitaines, pendant que je marche. Je suis plutôt douée pour ça. (Malgré le fait que

348

mes parents trouvent que c'est dangereux de faire les deux en même temps...)

La neige crisse sous mes pieds et de la fumée s'échappe de ma bouche. Le vent est glacial, mais ce n'est pas la raison pour laquelle je tremble, sous mon manteau. Mon message expédié, j'enfouis le cellulaire dans ma poche et lève la tête. À un coin de rue, je peux apercevoir l'arrêt d'autobus qui me mènera chez mon amie.

J'ai hâte de la voir. C'est pourquoi je presse le pas. J'espère juste que le trajet ne sera pas trop long...

À : Emy-Lee_Samson@coolmail.com
De : Nad@coolmail.com
Objet : Aveux

Émy, il faut que je te parle de quelque chose. D'abord, je m'apprête à prendre l'autobus vers chez toi et j'imagine que ça ne te dérangera pas que je vienne te voir, même à cette heure de la journée.

Je voulais que tu saches combien tu comptes pour moi. À tel point, en fait, que parfois il m'est arrivé de faire des trucs idiots. Des trucs dont j'ai un peu honte, c'est vrai. Mais c'était seulement dans le but de me rapprocher de toi. Je voulais revenir à mon ancienne école. Je voulais partir de cet endroit.

Mais, dis-moi, sincèrement, est-ce que tu crois que je devrais arrêter de regarder en arrière et penser à ce qu'il y a de mieux pour moi ? Peut-être que ce collège est réellement LA solution pour que je réussisse mon secondaire. La distance entre nous ne veut pas nécessairement dire qu'on doit arrêter d'être les meilleures amies du monde, après tout.

On doit juste trouver une façon de continuer à être importante dans la vie de l'autre. Mais d'une manière différente... Parce que, même si on se promet de ne pas s'oublier, tu sais comme moi que la distance nous sépare de plus en plus.

Qu'est-ce qu'on doit faire pour stopper cet écart qui se creuse entre nous?

Si tu as une idée, toi qui en as toujours des tonnes et des tonnes, je pense que ce serait le temps de la dire....

On en parlera de vive voix à mon arrivée chez toi.

Nad

23

ÉMY-LEE

Voici à quoi ressemble la couverture de mon agenda…

J'ai passé la soirée d'hier à le préparer et je suis assez fière du résultat.

Assise à la table de la cuisine, j'attends que le téléphone sonne. Pendant ce temps-là, mon père travaille dans son bureau et ma mère aide mon frère à faire quelques exercices de physiothérapie sur le tapis du salon.

— Tu veux que je prenne la relève? dis-je à ma mère. Ça te laisserait plus de temps pour préparer le souper.

— C'est très gentil, ma grande, mais je préfère que tu te concentres sur tes devoirs.

— Bah! J'ai toute la fin de semaine pour terminer ce problème de maths. Et puis, ça fait longtemps que je n'ai pas aidé Liam à faire ses exercices.

Maman consulte mon frère du regard, qui approuve en levant le pouce. Liam aime bien quand je passe du temps avec lui, on s'entend vraiment bien, tous les deux.

Je me lève et je le rejoins dans le salon, tandis que ma mère entame la préparation du souper. À genoux sur le tapis, je prends une de ses petites jambes entre mes doigts et je la manipule de façon à étirer ses muscles en douceur.

— Alors, crapule? Quand est-ce que tu vas arrêter de grandir? Si ça continue, tu vas finir par me dépasser!

Liam éclate de rire.

— Dans mon fauteuil roulant? articule-t-il lentement. Ça va prendre des années!

— Vu ma grandeur, ça m'étonnerait!

Dans la cuisine, maman enlève mes articles scolaires qui sont sur la table. Évidemment, je les ai laissés là par exprès. Elle prend mon cartable et le range dans mon sac. Puis, elle saisit mon agenda et… C'est plus fort qu'elle, elle jette un œil sur le collage que je me suis appliquée à faire sur la couverture.

Si je voulais la prendre par surprise, c'est réussi! Les jolies couleurs qui teintaient ses joues se sont envolées comme par magie. Maman est un fantôme. La bouche ouverte et les yeux ronds, elle ne peut s'empêcher de détailler mon agenda. J'arrive très bien à imaginer ce qui lui passe par la tête.

DANS LA TÊTE DE MA MÈRE :

- Oh! Ma fille est amoureuse! Elle est encore toute jeune, pourtant! Ce n'est plus un bébé, je vais devoir me faire à l'idée.
- Hum... Qui est ce Sylvain? Elle ne m'a jamais parlé de lui.
- J'espère qu'il ne fume pas...
- Qu'il ne boit pas...
- Qu'il ne prend pas de drogue.
- Important! Planifier une discussion sur les relations amoureuses avec ma fille.

Toujours dans le salon, je fais semblant de rien. J'exécute à la perfection les différents mouvements à travailler avec Liam, tout en gardant l'oreille bien tendue. Mais ma mère ne prononce pas un mot. Elle dépose mon agenda dans mon sac, se lave les mains et commence à couper des légumes.

C'est parfait. Je la connais par cœur, je sais qu'elle se mord l'intérieur de la joue pour ne pas me bombarder de questions. C'est ce qu'elle appelle le respect de la vie privée. Dans quelques minutes, le téléphone va sonner et elle va le balayer loin, très loin, son respect de la vie privée !

Drrrinnng

Ça y est ! Maxime-Alexandre appelle.

— Je réponds !

J'ai peut-être crié un peu trop fort, mais je voulais être certaine qu'on m'entende. Pour que mon plan fonctionne, maman doit croire que je parle à Nad, pas à Maax. La suite est simple : je fais semblant d'être complètement folle de mon prof d'éducation physique, comme les deux filles qui se pâmaient sur leur entraîneur lors de ma compétition. Tout le monde sait qu'aucun parent ne veut voir sa fille adorée sortir avec un prof ! Je me lève d'un bond et je décroche.

— Salut, Nad ! Ça va ?

À l'autre bout du fil, Maax éclate de rire. Pendant une ou deux minutes, on fait semblant d'échanger des banalités, du genre : « Comment était ta journée ? » « As-tu beaucoup de devoirs ? » « Qu'est-ce qu'on fait en fin de semaine ? » En même temps, je coince le combiné entre mon oreille et mon épaule, et j'aide mon petit frère à reprendre place dans son fauteuil roulant. Je le pousse jusqu'à la cuisine et je lâche :

— Si tu l'avais vu ! Il était tellement beau, aujourd'hui ! J'aurais aimé que tu sois là pour le voir.

Puis, je retourne au salon et je me laisse tomber sur le divan.

L'effet est réussi. Maman m'a entendue. Au lieu de couper frénétiquement les carottes comme elle a l'habitude de le faire, elle a ralenti la cadence à un point tel qu'on ne risque pas de manger avant des heures.

Je dois continuer mon petit jeu.

— Mais bien sûr qu'il sait que j'existe, qu'est-ce que tu crois? Il n'a pas arrêté de me regarder pendant le cours, aujourd'hui.

J'attends quelques secondes pour faire semblant que Nad me répond, mais en réalité, Maax fait tout ce qu'il peut pour me faire rire à l'autre bout du fil:

— Ne te fais pas d'idées! S'il te regardait, c'est uniquement parce que tu avais de la sauce à spaghetti dans le front et du persil entre les dents, m'agace-t-il.

J'ai envie de sourire, mais je continue, imperturbable:

— J'ai même eu droit à un petit clin d'œil quand la cloche a sonné. Je te le dis, c'est le prof le plus *hot* que j'ai eu jusqu'à présent.

Dans la cuisine, j'entends une assiette se fracasser au sol. Oups! On dirait que ma révélation a eu l'effet escompté! Ma mère arrive dans le salon à grandes enjambées pour écouter la fin de ma conversation. Moi, je fais semblant de ne pas l'avoir vue.

— Quoi ? Ha ! Non, ce n'était rien. Je crois que ma mère a cassé quelque chose. Revenons-en à Sylvain. Il n'est pas si vieux, tu sais. Ça s'est déjà vu des profs qui sortaient avec leurs étudiantes. Je suis sûre qu'il va bientôt m'inviter à sortir. On pourrait aller voir le nouveau film, au cinéma.

— Quel film ? m'interroge Maax, à l'autre bout du fil.

— Je ne me souviens pas du titre, mais Clémence m'a dit qu'il fait super peur. Je pourrais me coller contre lui et lui tenir la main.

— Pourquoi on n'irait pas ensemble ?

J'ai beaucoup de mal à continuer mon petit jeu. Maax ne m'aide pas du tout !

— Je ne veux pas y aller avec toi, Nad ! Je veux y aller avec Sylvain.

— Il ne t'invitera jamais, tu le sais, continue mon complice, qui cesse de jouer tout à coup. Moi, je suis réel et j'aimerais bien qu'on y aille ensemble.

Je ne comprends plus rien.

Pendant que maman me regarde avec des gros yeux, j'essaie de mettre de l'ordre dans ce chaos.

Maax vient-il **SÉRIEUSEMENT** de m'inviter à sortir au cinéma ? **?!**

QU'EST-CE QUE JE DOIS FAIRE?

Laisser tomber mon plan (et Nad)?

Accepter son invitation?

HURLER DE JOIE? RACCROCHER? PLeurer?

Je ne sais plus!

Pendant que j'essaie de trouver la solution parfaite, quelqu'un sonne à la porte. Comme je ne bouge pas, maman va ouvrir. L'instant d'après, j'entends :

— Émy-Lee !

Je frissonne. Son ton de voix m'indique clairement qu'elle est furieuse. Qu'est-ce que j'ai fait, encore ?

— Émy-Lee Samson ! Viens ici tout de suite !

Je franchis les quelques pas qui me séparent de l'entrée et là, je tombe nez à nez avec... Nadeige ! Torbinouche ! Qu'est-ce qu'elle fait là ? Je suis dans le pétrin pas à peu près !

— Qu'est-ce que ça veut dire ? me demande ma mère. À quoi tu joues ?

Elle semble à la fois surprise et blessée. Je peux comprendre… Je viens de lui mentir effrontément. Honteuse, je porte mon regard sur Nad. Toujours dans le cadre de porte, elle a l'air de se demander ce qui se passe et surtout, pourquoi on ne l'invite pas à entrer.

— Avec qui tu parles au téléphone ?

Je regarde le combiné. Oups ! J'ai raccroché sans le faire exprès.

— Avec…

— Ne t'avise pas de me mentir !

— Avec un ami. On voulait te faire une blague, mais je réalise que ce n'était pas drôle du tout.

— Donc… Cette histoire de prof de gym dont tu serais amoureuse…

Nad hausse les sourcils et me questionne du regard. Je sais qu'elle a hâte que je lui donne plus de détails. Mais avant, je dois finir de m'expliquer avec ma mère.

— Ce n'était pas vrai.

Maman hésite entre le soulagement, la colère et la déception.

— Tu avais quelque chose à voir là-dedans, toi ? demande-t-elle à Nadeige, un brin agressive.

Ma *best* secoue frénétiquement la tête.

— Bon. Ne reste pas là. Entre, il fait froid.

Maman referme la porte d'entrée un peu plus fort qu'à l'habitude et retourne dans la cuisine. Je respire un peu mieux. Je sais que je vais avoir droit à une discussion de famille approfondie sur l'honnêteté, le respect des autres et l'importance de m'entourer d'amis qui véhiculent de belles valeurs, mais je l'ai bien cherché.

Maintenant, reste à savoir si Nad va croire à une simple mauvaise blague, elle aussi...

Qu'est-ce que tu fais, Nad?

Devoirs, devoirs... Et toi?

Bah! J'écoute la télé.

Ça me fait tout drôle. D'habitude, c'est toi qui es punie. Je vois ce que tu as vécu dans les dernières semaines. C'est long. C'est plate. Ça pue. (Bon, j'avoue, ça ne pue pas vraiment, mais c'est plus drôle dit comme ça...)

Je ne veux pas tourner le fer dans la plaie, mais sur ce coup-là, c'est un peu ta faute, Émy! Non mais, faire croire à ta mère que tu trippes sur un prof (total ark!)...

J'avais juste envie de m'amuser un peu.

En tout cas, on a bien ri au téléphone, Maax et moi.

Hé! Grande nouvelle! Tu sais qu'il vient de casser avec Juliette?

Officiellement, je veux dire!

Euh... je dois en avoir raté un petit bout, parce que...

C'EST QUOI CETTE HISTOIRE???

Tu ne sortais pas DÉJÀ avec Maax?
Pourquoi tu ne m'as pas dit qu'il était
encore avec Juliette?

Oui... Bon... Euh... Je croyais
te l'avoir dit, en fait...

C'est une erreur! De toute façon,
tu n'aurais pas été d'accord.

Le positif, là-dedans, c'est que ça nous a
permis de nous rapprocher et maintenant,
je pense qu'il m'aime bien.

J'ESPÈRE, parce que je n'aurais
pas été d'accord!

Même si je me fous de cette Juliette,
ce n'est pas correct pour elle.

Il t'aime bien, ouais, mais pour
combien de temps...

Il ne pourra plus se passer de moi,
tu vas voir! Il avait juste besoin d'un
petit coup de pouce pour réaliser à quel
point je suis fantastique! 😃

Maintenant, il faudrait qu'on se penche
sur ton cas. Tu ne peux pas rester
célibataire toute ta vie!

Justement... je ne suis plus célibataire...

Hein! Quoi? Décidément, c'est le jour des révélations!

En tout cas, je ne sais pas exactement comment je pourrais définir ma relation avec Sasha, mais disons qu'il était pas mal plus intéressant que je ne le croyais, finalement... hi, hi!

Sasha? Tiens, tiens... Pourquoi je ne suis pas surprise? Je me doutais bien que tu ne le trouvais pas SI insignifiant! (Même si tu voulais me faire croire le contraire.)

Je ne voulais pas te faire croire le contraire!

Ah, arrête un peu, tu me gênes... Tu le sais que je suis zéro romantique, moi!

En tout cas, je suis super contente pour toi! Il va falloir que tu me le présentes.

(Pas dans deux mois, là!) Es-tu libre, samedi?

Désolée, c'est le baptême d'un de mes petits-cousins. Je ne peux pas y échapper... Peut-être le week-end suivant?

Non, je ne peux pas. Mes parents participent à une collecte de fonds pour la paralysie cérébrale, à Montréal. On va passer la fin de semaine là-bas.

Mais on ne se verra jamais, si ça continue!

Surtout si toutes les deux, on a un chum... 😕

T'inquiète! Le temps des fêtes approche, on aura tout le temps de se voir!

24

NADEIGE

C'est terminé. Ça ne sert à rien. Je ne réussirai jamais à revenir à mon ancienne école. Émy-Lee et moi, on va devoir s'accommoder de la distance qui nous sépare. Au moins, maintenant, je sais qu'elle s'ennuie autant que moi. On a juré de tout se dire. Je lui ai donc parlé de Sasha, mais j'ai omis les épisodes où j'essayais de me faire mettre dehors du collège. Beaucoup trop honteux. Elle n'a pas besoin de savoir à quel point j'étais désespérée.

Mais en ce qui concerne Sasha, je lui ai dit qu'il me remuait de la tête aux pieds. Qu'il me mettait dans un état de transe quasi impossible. Qu'il était parfait. Et que je crois que je l'aime.

Je ne l'ai pas revu depuis la journée où il est venu chez moi. Il était malade, cette semaine, et il a manqué plusieurs journées d'école. J'espère qu'il sera de retour en classe aujourd'hui. Je m'ennuie de lui. De ses sourires. De ses baisers. De LUI. Tout simplement.

En pénétrant dans l'aire commune, je remarque qu'aucune décoration n'a encore été installée. Je croise Delphine qui vient en sens inverse et j'en profite pour lui demander :

— Où est-ce qu'ils mettent le sapin de Noël, dans ce collège ? Tu ne trouves pas que ça manque d'ambiance ?

Mon amie secoue la tête et m'explique :

— C'est parce que le collège ne décore jamais pour cette fête. Il y a trop de familles qui ont des religions différentes et ça crée des frictions. Alors la direction préfère éviter les malentendus.

— Pas de déco, alors ? Ouin… c'est plate.

Delphine hausse les épaules, se désintéressant rapidement du sujet. Elle me pointe plutôt quelque chose, dans mon dos. Lorsque je me retourne, je plonge avec bonheur dans le regard de Sasha, qui me prend par la taille et pose son front tout contre le mien.

— Salut, toi…, murmure-t-il.

— Tu vas mieux ?

— Maintenant que je te vois, absolument.

— Tu aurais pu m'appeler, tu sais.

— Je n'avais pas ton numéro. Et de toute manière, j'étais une vraie carpette, couché dans mon lit du matin au soir.

Je fais la moue, en entendant la description de son état, et je ne peux résister à le consoler en le tirant vers moi pour l'embrasser. Quelques rires résonnent dans notre dos, tandis que les amis de Sasha se moquent de lui, mais il ne s'en préoccupe pas.

— On a le droit de s'embrasser dans les corridors ?

— T'inquiète, j'ai des contacts avec le directeur, me répond-il, tout sourire. Il ne peut rien me refuser. Ça fait une semaine qu'il m'entend me plaindre que j'ai hâte de te revoir !

Je glousse (OMG, je GLOUSSE ! J'ai l'air d'une vraie idiote !) et mets ma main devant ma bouche pour me cacher, mais il attrape celle-ci et la porte à sa bouche. La cloche sonne et nous nous séparons à regret. Enfin, pas complètement non plus, car nous marchons les doigts entrelacés jusqu'au local de classe.

Ce collège me semble de moins en moins horrible… Même ce fichu uniforme ne me dérange pas, aujourd'hui. Il faut dire que le polo moule avantageusement les bras de Sasha et je ne peux m'empêcher de trouver que c'est le plus beau chandail du monde, sur lui… Je suis ridicule, je SAIS ! Mais je suis en amour…

En amour. Avec Sasha.

La journée me semble interminable. Pourtant, je suis de très bonne humeur. Je m'ennuie de ma *best*, mais nous avons passé la fin de semaine ensemble. Ça va mieux. Même Noémie la gre-luche ne m'atteint pas, avec ses simagrées dans mon dos. Elle peut dire ou faire ce qu'elle veut, ça ne me dérange pas. Je ne pense qu'à Sasha.

Dès que je me tourne dans sa direction, il me fait un clin d'œil et me souffle un baiser. Je lui souris en retour et il me pointe ma fossette. La vie est belle. Même dans ce collège...

* * *

Une bonne odeur de rôti m'accueille dès que je mets le pied dans la maison. Je me débarrasse de mon manteau, lance mes bottes dans l'entrée et abandonne mon sac à dos près de la porte. Je sautille jusqu'au salon, où mon père est assis, à regarder la télévision. Je passe tout droit et me rends jusqu'à la cuisine pour mieux sentir l'odeur du repas qui cuit dans le four.

— Bonjour, ma grande, me salue ma mère. Qu'est-ce qui est arrivé à ma fille? Elle sourit en revenant de l'école? C'est vraiment étrange...

Je ne relève pas l'allusion et m'assois à table, sans cesser de sourire. Ma mère vient prendre place devant moi et me montre une liste qu'elle est en train de rédiger.

— Tu vois ceci, c'est tout ce qu'il nous reste encore à faire avant Noël... Je suis déjà épuisée... Oh, en passant, la mère de ton amie Émy-Lee a appelé et elle avait une surprise à t'annoncer. Tu la rappelleras tout à l'heure, d'accord?

Je hoche la tête en songeant à des tas d'autres choses (mais surtout à Sasha, je l'avoue...). Ma mère continue de jacasser et je ne l'écoute que d'une oreille, jusqu'à ce qu'elle me répète:

— Nadeige? Tu as compris ce que je viens de te dire?

— Hein? Non, désolée, j'étais dans la lune. Quoi?

— Je voulais que tu me donnes des suggestions de cadeaux de Noël. Tes grands-parents ne savent jamais quoi t'acheter, alors si tu as des idées...

— Oh, oui, je vais y penser. D'ailleurs, parlant de Noël, j'ai remarqué un truc bizarre, à l'école.

Ma mère s'est relevée et ouvre le four, pour vérifier la cuisson du rôti. Elle m'écoute distraitement, mais je continue.

— Au collège, ils ont décidé de ne pas faire de sapin, à cause des autres religions, je crois. Alors on n'a aucune déco. C'est moche, je trouve...

Ma mère se fige. Lentement, elle referme la porte du four et se tourne vers moi.

— Tu es sérieuse ? Pas d'arbre de Noël ? Mais pourquoi, mon Dieu ?

— Bien, comme je te disais, c'est à cause des autres religions. Pour ne pas faire de préférences ou un truc du genre...

— Voyons ! Ça n'a aucun sens ! Richard, viens ici, il faut qu'on parle !

OK, mes parents sont catholiques pratiquants, mais je ne pensais pas que ça les dérangerait à ce point. Mon père nous rejoint et ma mère lui explique la situation. Il n'a pas l'air très content, lui non plus, et je suis de plus en plus mal à l'aise. Non mais, on s'en fiche ! Ce n'est qu'un sapin, quand même !

Le ton monte. Mes parents commencent à parler de me retirer du collège et je deviens blanche comme un drap. Non mais, ce n'est pas vrai ! Pas maintenant ! Alors que je commençais à accepter la situation ! Alors que Sasha et moi, ça devenait sérieux. Alors qu'Émy-Lee et moi, on avait réglé nos problèmes de séparation... Je me lève de mon siège et essaie d'attirer leur attention.

Ma mère se tourne vers moi et lance, le souffle court :

— C'est décidé, Nadeige, tu ne peux pas terminer l'année dans ce collège qui n'a pas les mêmes valeurs que les nôtres. Après les fêtes, nous te réinscrirons à ton ancienne école. Un point, c'est tout.

Je me laisse retomber durement. Qu'est-ce que je vais dire à Sasha… ?

✳ ✳ ✳

J'entre dans ma chambre, le pas lourd. Je m'assois sur ma chaise de bureau, celle-là même où Sasha avait pris place, il n'y a pas si longtemps. Je saisis mon cell. Je vais lui écrire un mot. Je ne peux pas lui parler. J'ai la gorge qui se serre. J'ai des larmes qui coulent sur mes joues. Avant, je dois parler à Émy. Parce que je ne sais pas à qui d'autre je pourrais me confier.

Puis, je commence à écrire la plus difficile des lettres de rupture…

À : Emy-Lee_Samson@coolmail.com
De : Nad@coolmail.com
Objet : Lettre à Sasha

Tu sais, à propos de Sasha, je pense que c'était une mauvaise idée, finalement. Je ne crois pas qu'on va former un couple si solide. Tu penses qu'il m'en voudra beaucoup si je lui envoie un courriel, plutôt que de lui parler de vive voix ?

Je ne sais pas trop… Je suis mal à l'aise. En tout cas, je vais essayer de lui écrire quelque chose de gentil, quand même. Il n'était pas si mal, Sasha. C'est juste que… Bon, je dois aller le faire. Je te réécris plus tard.

Nad
Ta *best* (qui sera célibataire de nouveau dans quelques minutes…)

À : Nad@coolmail.com
De : Emy-Lee_Samson@coolmail.com
Objet : RE : Lettre à Sasha

Ben voyons, ma Nad… Qu'est-ce qui s'est passé ? Je croyais que ça allait bien entre vous deux…

Tu peux lui écrire, mais je pense que c'est mieux si tu l'appelles. Mets-toi à sa place... Ça ne doit pas être drôle de se faire flusher, surtout si près de Noël. (Sauf si tu me dis qu'il a été méchant avec toi. Dans ce cas, un mini-texto fera l'affaire!)

Donne-moi plus de détails, s'il te plaît. On dirait que tu as de la peine...

Émy-Lee
(Qui le sent quand sa *best* ne va pas bien...)

À : Emy-Lee_Samson@coolmail.com
De : Nad@coolmail.com
Objet : RE : RE : Lettre à Sasha

C'est fait, courriel envoyé. Laisse tomber, je n'ai pas le goût de penser à lui en ce moment. Il n'a pas été particulièrement méchant, c'est juste qu'en fin de compte, on était trop différents. On n'avait pas les mêmes idées sur plusieurs sujets et on passait notre temps à se disputer.

Peu importe. J'ai une surprise pour toi. Mais pas tout de suite, je veux absolument te l'annoncer en personne. Je sens que tu vas être contente!

Quand peut-on se voir ?

Nad
Ta *best* (qui va BIEN, ne t'en fais pas !)

À : Nad@coolmail.com
De : Emy-Lee_Samson@coolmail.com
Objet : J'adore les surprises !

Qu'est-ce que c'est ? Qu'est-ce que c'est ? Qu'est-ce que c'est ?

Mon cadeau de Noël ? Déjà ? On s'était dit qu'on attendait au 25 décembre pour se le donner ! Tu triches, là !

Aujourd'hui, je dois aller dans les magasins avec ma mère, mais je peux passer chez toi demain, si tu veux.

Émy-Lee
(Qui a trop hâte à demain)

25

ÉMY-LEE

Je ne sais plus quoi penser des garçons. UN garçon en particulier.

La semaine dernière, j'apprenais que Maax avait ENFIN réussi à se débarrasser de Juliette (et par le fait même, je m'imaginais peut-être UN PEU éventuellement devenir sa nouvelle blonde) et aujourd'hui, je le croise dans les magasins avec une autre fille que MOI.

Je ne la connais pas, cette fille, mais elle m'énerve déjà ! Grrr !

— Émy-Lee, tu m'écoutes ?

— Hein ? Quoi ? Oui, maman.

En fait, j'ai perdu le fil de son monologue. De quoi ma mère me parlait-elle, au juste ? Du mariage de sa cousine Pascale ou de la nouvelle voiture de Jean, notre troisième voisin ? Je ne me souviens plus (et je m'en fiche un peu, pour être honnête).

— Alors, poursuit maman, qu'est-ce que tu en penses ? On y va ou pas ?

— Où ça ?

— Au Mexique, voyons !

Je secoue la tête.

— Au Mexique?

— Qu'est-ce qui t'arrive? s'inquiète ma mère. Je te propose d'aller dans le Sud l'été prochain pour le mariage de Pascale et tu réagis à peine! Tu m'écoutes, au moins?

— Oui, oui… Ce n'est pas ça… C'est juste que…

Dans le Sud? Ouf! J'ai chaud, tout à coup!

Je ne le fais pas exprès, mon cerveau dresse tout seul la liste des maladies que je risque de contracter une fois là-bas. Je dois reprendre mes esprits et cesser de penser aux puces de lit, à l'hépatite et à la rage.

— C'est juste que quoi? insiste maman.

— Je suis surprise, c'est tout. Ce n'est pas trop ton genre de voyage: la plage, le sable, la chaleur…

— C'est sûr que j'aurais préféré que ta cousine choisisse de se marier en France ou en Italie, mais je ne suis pas contre l'idée d'essayer autre chose, pour une fois.

Elle me lance un clin d'œil complice qui veut certainement dire: « Je suis capable d'être cool et de me prélasser sur la plage d'un tout-inclus, moi aussi! » ou quelque chose du genre.

Mon cerveau s'active à la vitesse grand V et profite de la situation pour produire une super idée. Maman aime voyager. Découvrir le monde. Améliorer ses connaissances en histoire et en géographie. Je suis convaincue que sa passion pour le tourisme peut s'avérer utile dans l'exécution de mon plan pour aller au collège. Un plan qui a lamentablement échoué depuis le début…

— Pendant qu'on parle de voyage, lui dis-je, prête à développer. Je voulais te parler de quelque chose.

Maman me regarde avec un grand sourire.

— Oui, j'y ai pensé, moi aussi, me répond-elle aussitôt. J'en ai parlé avec ton père et nous sommes d'accord.

Euh… Je ne sais pas à quoi elle a pensé, mais ce n'est sûrement pas la même chose que moi. Impossible !

— Seulement, il y aura des conditions très strictes.

Je fronce les sourcils. De quoi parle-t-elle ?

— Des conditions ?

— Ah ! Mais oui ! Tu ne croyais quand même pas que j'allais vous laisser vous balader en dehors du site et vous laisser rentrer aux petites heures du matin sans surveillance ? Je vais garder un œil sur vous deux, c'est certain !

— Sur nous deux ?

Je ne suis plus sûre de comprendre... Elle veut que j'emmène un cavalier au mariage ? Oh ! Ça serait trop génial ! Je pourrais demander à Maxime-Alexandre de m'accompagner. Sans la belle brune qui était avec lui dans les magasins, évidemment !

Voyons... Je me fais des idées, c'est clair ! Je ne vois pas comment une telle situation pourrait se concrétiser. Maman ne me proposerait JAMAIS d'emmener un gars en voyage avec nous.

Qui est cette mystérieuse personne qu'elle veut inviter, alors ?

— Qu'est-ce que tu as, ce matin, Émy-Lee ? Tu es toute bizarre. Tu t'es disputée avec Nadeige ?

— Non. Pourquoi ?

— On dirait que ma surprise ne te fait pas plaisir. Je pensais que tu serais contente qu'elle vienne avec nous au Mexique.

— Quoi ? Nad ? Pour vrai ?

Mon cerveau a besoin de quelques petites secondes pour assimiler l'information et je bondis partout comme un petit furet tellement je suis contente. J'embrasse maman sur la joue, je lui propose un *high five* et je saute dans les bras de papa quand il entre dans la cuisine, une tasse de café vide à la main. Il a probablement passé une partie de la matinée à travailler devant l'écran de son ordinateur, comme tous les dimanches matin.

— Ses parents sont d'accord, marmonne-t-il avec un sourire en coin. Mais vous devez nous promettre de bien vous conduire.

— Oui! C'est sûr! Est-ce que je peux lui annoncer la nouvelle aujourd'hui?

Papa approuve d'un hochement de tête.

— Cool! Cool! Cool! C'est trop cool!

Je chante et je danse partout dans la cuisine. Un peu plus et j'oubliais l'idée (je devrais plutôt dire: la MERVEILLEUSE idée) que j'ai eue juste avant que maman m'annonce la nouvelle.

Je lance, sur le ton de la conversation:

— Je ne m'attendais pas à prendre deux fois l'avion cette année!

Mes parents s'interrogent du regard. J'ai piqué leur curiosité.

— Deux fois? me demandent-ils en chœur.

— Oui! Je ne vous l'avais pas encore dit? Oh! Désolée, j'ai oublié. L'école organise un voyage en fin d'année.

— C'est vrai? me questionne maman, qui se montre tout de suite intéressée. Un voyage culturel?

— Non, c'est une mission humanitaire.

— Oh! La bonne idée! Soutenir les populations en difficulté, aider les petits enfants pauvres, contribuer au bien-être des plus démunis. Quoi de mieux pour former la jeunesse? Je t'encourage vivement à t'y inscrire, Émy-Lee.

— C'est que ça coûte assez cher…

— Je crois qu'on peut y arriver.

Maman est emballée, mais papa me regarde d'un air sceptique. J'espère qu'il ne voit pas clair dans mon petit jeu. Il me connaît par cœur, il se dit sûrement que ce genre de mission n'est pas pour moi, que j'ai trop peur d'attraper la lèpre. Il n'a pas tout à fait tort…

— Où irez-vous? demande-t-il enfin. En Afrique? À Haïti?

— Non. On a choisi d'aller en Afghanistan.

Comme prévu, ma réponse a l'effet d'une décharge électrique sur mes parents.

— En Afghanistan? crie ma mère, horrifiée.

— Euh… Oui. Quel est le problème?

Je fais celle qui ne comprend pas.

— Voyons, Émy-Lee! se fâche mon père. Tu n'y penses pas? L'Afghanistan! On ne va pas t'envoyer dans un pays en guerre sous prétexte que votre école veut faire de l'aide humanitaire! Tu n'es pas un soldat, quand même!

— C'est très dangereux, renchérit maman.

— Mais non! Vous vous inquiétez pour rien. Je suis sûre que l'école va s'assurer que c'est sécuritaire. Au pire, je marche sur une mine antipersonnel et je perds une jambe.

Oh! Je pousse peut-être un peu trop. Mes parents sont aussi blancs que les draps de mon lit.

— Hé! C'est une blague!

— De toute façon, il est hors de question qu'on te permette de faire ce voyage, tranche papa. Tu resteras ici.

— Mais toute mon année y va! De quoi je vais avoir l'air?

— D'une jeune fille qui a une tête sur les épaules.

— Ce n'est pas juste! C'est ça, le secondaire. On découvre le monde! Nad aussi va partir avec son école!

— Ça me surprendrait beaucoup que le collège organise un voyage en Afghanistan!

— Non. Ils ont le choix entre la Grèce ou l'Écosse.

Le regard de maman change et fait place à l'admiration.

— Ça, c'est un beau projet! s'exclame-t-elle, impressionnée. L'Écosse… C'est un si beau pays. J'ai toujours rêvé de le visiter…

— Je sais, dis-je pour enfoncer un peu plus le clou. J'aimerais vraiment y aller, un jour, moi aussi. C'est ton arrière-grand-mère qui est née là-bas, je crois, c'est bien ça ?

Je pense que j'ai tapé dans le mille ! Ma mère projette de découvrir le pays d'origine de ses ancêtres depuis si longtemps qu'elle ne peut s'empêcher de sourire.

— Exactement.

Elle glisse une main derrière sa nuque et s'assoit à la table, le regard perdu. Tout le monde sait qu'il ne faut pas la déranger quand elle fait ça : elle réfléchit. Mon père, mon frère et moi attendons en silence pendant que son ange et son démon intérieur se disputent férocement dans son esprit.

Le suspense est insupportable. Qu'est-ce qui peut bien se passer dans sa tête ?

1. ELLe est en train de comprendre que mon histoire d'Afghanistan est insensée.

2. ELLe s'apprête à me torturer pour me faire avouer mes crimes.

Finalement, après une attente insupportable, ma mère se lève et vient se planter juste devant moi. Je n'arrive pas à interpréter son expression. Est-elle fâchée? Déçue? Triste? Elle pince les lèvres et me demande:

— Ce voyage en Écosse... Tu crois qu'ils vont avoir besoin de parents accompagnateurs?

— Euh... Je ne sais pas. Pourquoi?

— Parce que je pense que ce serait une bonne idée qu'on y aille, toutes les deux.

Ma bouche s'ouvre. Je ne suis pas sûre de bien comprendre.

— Ça, c'est le voyage organisé par le collège, tu te souviens? lui dis-je, éberluée.

— Oui. Je connais bien la secrétaire, je vais lui envoyer un courriel pour lui demander s'il est possible de t'inscrire. Si on est chanceux, une place se libérera d'ici le retour des vacances. On aura tout le temps d'acheter ton uniforme et tes articles scolaires pendant le congé des fêtes.

Est-ce que j'ai bien entendu ? Ça y est ! Mon plan a ENFIN fonctionné ! Je crois que je vais m'évanouir !

Au lieu de ça, je saute dans les bras de maman et je lui fais le plus gros, le plus long et le plus sincère câlin de tous les temps.

Nad! Là, je ne me peux plus! J'ai une super nouvelle à t'annoncer!

Toi aussi?!

Comment veux-tu que j'attende de te voir pour savoir de quoi il est question!?

Pourquoi on ne se le dirait pas maintenant, en fin de compte?

Je suis troooop impatiente de le savoir...

Et moi, je suis troooop excitée, si tu savais! On fait ça tout de suite?

Génial!

Alors tu commences?

Non, vas-y! Je veux garder ma nouvelle pour la fin.

Non, toi!

Non, toi! 😃

Bon, les deux en même temps, ça te va?

Bonne idée!

À go. Fais le décompte avec moi!
Un...

Deux...

Trois...

GO!!!

MES PARENTS ME CHANGENT
D'ÉCOLE!!!

MES PARENTS ME CHANGENT
D'ÉCOLE!

Hein? Scuse, Émy, je dois mêler
nos deux messages.

Qu'est-ce que tu viens d'écrire?

J'ai réussi, Nad! J'ai tout manigancé
depuis le début!

Mes parents me changent d'école.
YOU-HOU!

Non, c'est MOI qui change d'école.
Je retourne à mon ancienne école !

Mes parents sont d'accord.

Non, ce n'est pas possible ! Tu ne peux pas retourner à la poly, ma mère vient de finaliser mon inscription au collège !

Comment ça, toi tu t'en vas au collège ?!?

C'est quoi, cette histoire ?

Il y a une place qui vient de se libérer…

Oh non ! Ne me dis pas que c'était TA place ?

Torbinouche ! C'est une blague ou quoi ?

Ça n'a aucun sens ! Pas après tous les efforts que j'ai faits pour me faire renvoyer !

… Et tous les efforts que j'ai faits pour devenir délinquante !

Ben voyons !

QU'EST-CE QU'ON VA FAIRE ?

QU'EST-CE QU'ON VA FAIRE ?

À suivre...

Tu as le goût de TOUT SAVOIR sur la série BFF ?
Tu veux nous faire part de sujets ou d'aventures que tu aimerais qu'on aborde, Nadeige et moi ?
Tu souhaites participer à nos FABULEUX concours ?
Clique J'AIME sur la Fan page BFF sur Facebook et écris-nous !
N'hésite pas à la partager avec tes amies !
À bientôt !